CYNNWYS

Golygfa yn Llundain yn ystod terfysgoedd Lloegr, haf 2011: hen fusnes teuluol oedd y siop fawr hon a losgwyd.

BE' YDI BE'?

Terfysg Ddoe a Heddiw

Am nosweithiau enbyd yn Llundain ym mis Awst 2011, bu torfeydd o bobl – llawer ohonynt yn bobl ifanc – yn creu anhrefn ar strydoedd Tottenham ac mewn rhannau eraill o'r ddinas. Llosgwyd ac ysbeiliwyd siopau, a bu ymladd rhwng y dorf ac aelodau o'r heddlu. Roedd miloedd o Heddlu Llundain, sef yr heddlu proffesiynol cyntaf i'w sefydlu yng ngwledydd Prydain, yn ceisio atal y dinistr. Anfonwyd heddweision o Gymru i'w helpu yn ogystal. O'r awyr, fe welid strydoedd yn wenfflam, fel petai rhannau o'r ddinas yng ngafael rhyfel. Dros y penwythnos ymledodd yr helyntion i ddinasoedd eraill yn Lloegr, yn enwedig Birmingham a Manceinion.

Dyma ddarlun y gallwn yn hawdd roi enw arno: dyma ydi terfysg, neu 'reiat.'

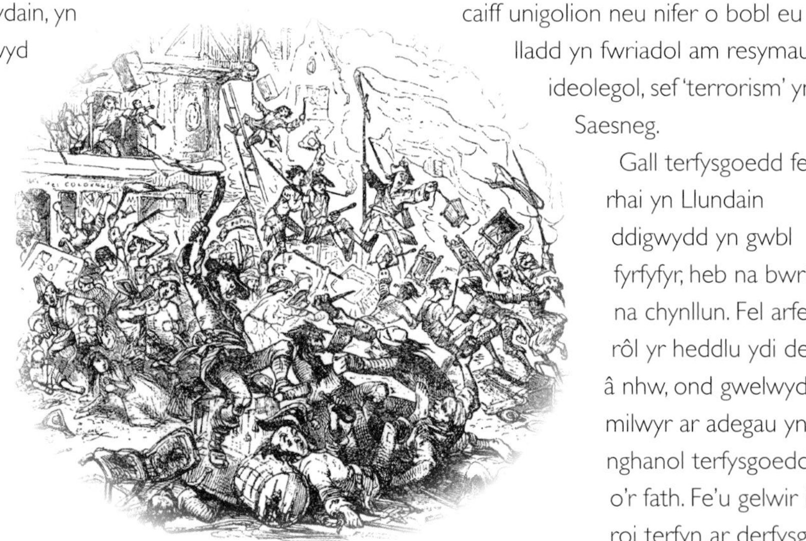

Terfysg torfol ym Moorfields, Llundain, yn 1780: un o gyfres o derfysgoedd a ysgogwyd gan ragfarnau'r Arglwydd George Gordon yn erbyn Catholigion. Lladdwyd 273 o bobl yn yr helyntion hyn.

Ond mae'r gair 'terfysg' yn fwy eang ei ystyr na'r gair Saesneg 'riot'.

Yn ogystal â storm o fellt a tharanau, gall ddisgrifio unrhyw ddigwyddiad cythryblus lle bo gwrthdaro rhwng pobl. Dyna ydi 'brwydr' hefyd, ond fe gysylltir y gair hwnnw ag ymladd rhwng lluoedd arfog mewn rhyfel. Yn Gymraeg, defnyddir amrywiad ar y gair terfysg, sef 'terfysgaeth' i gyfeirio at droseddau lle caiff unigolion neu nifer o bobl eu lladd yn fwriadol am resymau ideolegol, sef 'terrorism' yn Saesneg.

Gall terfysgoedd fel y rhai yn Llundain ddigwydd yn gwbl fyrfyfyr, heb na bwriad na chynllun. Fel arfer, rôl yr heddlu ydi delio â nhw, ond gwelwyd milwyr ar adegau yng nghanol terfysgoedd o'r fath. Fe'u gelwir i roi terfyn ar derfysg sydd y tu hwnt i allu'r heddlu i'w reoli.

Un o nodweddion terfysg yw fod gwrthdaro rhwng gwahanol grwpiau o bobl yn arwain at wrthdaro pellach gyda'r awdurdodau cyhoeddus wrth iddynt geisio adfer trefn. Weithiau, daw terfysg yn brotest fwriadol yn erbyn yr awdurdodau, gan gynnwys yr heddlu. Dyna oedd terfysg difrifol Los Angeles yn 1992, a dorrodd allan pan gafwyd pump o blismyn y ddinas yn ddieuog o gam-drin Rodney King, er bod ffilm fideo o'r digwyddiad wedi cael ei ddangos ar y teledu. Gwelai nifer o bobl groenddu Los Angeles y digwyddiad fel prawf o ragfarn hiliol yr heddlu a'r llysoedd; bu terfysg dinistriol a lladdwyd 53 o bobl ac anafwyd dros 2,000.

Terfysg a Gwleidyddiaeth

Gall terfysg ar fater gwleidyddol fod yn her i'r llywodraeth, fel yr oedd 'Terfysg Treth y Pen' yn Llundain yn 1990, pan drodd rali fawr yn cynnwys tua 200,000 o bobl yn derfysg a barhaodd yn hwyr i'r nos. Anafwyd 113 o bobl a chafodd 339 eu harestio gan yr heddlu.

Gall terfysg ar adegau dyfu'n wrthryfel agored yn erbyn y llywodraeth. Dyna ddigwyddodd yn Rwsia yn 1917, pan fu cyfres o derfysgoedd yn ninas Petrograd (St Petersburg heddiw) yn erbyn y Rhyfel Mawr a'r cyni economaidd a ddaeth yn ei sgil. Ni allai'r awdurdodau reoli'r sefyllfa, ac yn y diwedd cwympodd y llywodraeth ac ildiodd y Tsar Nicholas II ei orsedd.

Yn Ffrainc yn 1789, roedd proses o ddiwygio gwleidyddol eisoes ar droed mewn cynulliad mawr a gynrychiolai'r wlad gyfan. Cafwyd terfysg ym Mharis ym mis Gorffennaf, yn sgil prinder bwyd a thlodi ymysg y werin. Buan y tyfodd yn chwyldro – chwyldro a fagodd wedd fwy eithafol dros y pum mlynedd canlynol, gan arwain at filoedd o farwolaethau. Ofnid y byddai'r un peth yn digwydd ym Mhrydain, a lliwiodd hynny ymateb yr awdurdodau i'r terfysgoedd a fu yng Nghymru yn ystod y cyfnod rhwng 1790 ac 1840.

Terfysg a'r Gyfraith

Does dim rhyfedd, felly, fod 'terfysg' yn yr ystyr o wrthdaro afreolus yn rhywbeth i'w ofni. Ym Mhrydain, pasiwyd y Ddeddf Derfysg yn 1714 i wahardd cynulliadau torfol a galluogi'r awdurdodau i ymateb yn gyflym i derfysg cyhoeddus.

Yn ôl y ddeddf, gallai'r awdurdodau ddefnyddio grym arfog i wasgaru torf o fwy na deuddeg o bobl a oedd wedi ymgynnull yn 'anghyfreithlon, yn derfysglyd ac yn afreolus'. I wneud hynny, roedd yn rhaid i ynad heddwch, neu swyddog megis maer neu siryf, ddarllen yn uchel y geiriad a roddwyd gan y ddeddf. Gwelwn yn hanes rhai o'r terfysgoedd yn y llyfr hwn fod y broses o ddarllen y Ddeddf Derfysg ynddi'i hun yn rhan bwysig o'r stori.

Y Darlleniad Byr o'r Ddeddf Derfysg

Mae ein Harglwydd Sofran y Brenin yn siarsio ac yn gorchymyn i'r holl bersonau sydd wedi ymgynnull ymwasgaru ar unwaith ac ymadael yn heddychlon i'w cartrefi neu at eu busnes cyfreithlon, ar boen yr hyn a geir yn y Ddeddf a wnaed ym mlwyddyn gyntaf y Brenin Siôr y Cyntaf er mwyn rhwystro cythrwfl a chynulliadau terfysglyd.

DUW GADWO'R BRENIN.

Terfysg a'r Cyfryngau

Rhoddwyd sylw mawr i'r defnydd o gyfathrebu electronig – ffonau symudol, trydar a Facebook – yn nherfysgoedd Lloegr yn 2011. Nid oedd cyfryngau o'r fath ar gael adeg y terfysgoedd a drafodir yn y llyfr hwn wrth gwrs. Eto i gyd, roedd yn syndod i'r awdurdodau adeg ymgyrch Beca yn erbyn y tollbyrth yn ystod hanner cyntaf y bedwaredd ganrif ar bymtheg sut yr oedd newyddion am hynt heddlu a milwyr yn ymledu drwy gefn gwlad gorllewin Cymru mor gyflym, a Beca a'i merched yn diflannu mor rhwydd i'r nos.

Bu un cyfrwng cyfathrebu modern yn hwb mawr i fudiad Beca, sef y wasg ddyddiol. Erbyn haf 1843 roedd y pennawd 'The State of Wales' yn ymddangos bron yn feunyddiol ar dudalennau *The Times*, a cholofnau lawer yn disgrifio ac yn dadansoddi. Nid yw'n syndod i ffermwyr Dyfed gyflwyno plât arian i ohebydd *The Times* fel arwydd o'u gwerthfawrogiad ar ôl diwygio trefn y tollbyrth yn 1844. Credai nifer o dirfeddianwyr lleol fod y wasg wedi bwydo tân y protestiadau trwy'r sylw a roddid iddynt.

A dyma ddychwelyd i'n byd modern ni. Am derfysgwyr yn gosod bomiau a herwgipio awyrennau y defnyddiodd Margaret Thatcher yr ymadrodd enwog 'the oxygen of publicity' yn 1985. Ond bu'n ffactor bwysig yn nherfysgoedd stryd ein hoes ni hefyd. Pa effaith, tybed, a gafodd y delweddau teledu cynharaf o Tottenham ar y dinasoedd eraill lle bu terfysgoedd ar y nosweithiau canlynol yn 2011?

Beca yn arwain ei 'merched' i ymosod ar dollborth: roedd yn arferiad i arweinydd y brotest wisgo fel merch a marchogaeth ceffyl.

A WYDDECH CHI?

Syr John Wynn o Wydir (1553–1627): ysgrifennodd hanes ei deulu – teulu hynod o ddylanwadol yng ngogledd Cymru yng nghyfnod y Tuduriaid a'r Stiwartiaid.

Hen Gynnen

Mae hanes hir o derfysg ac anhrefn yng Nghymru. Byddai llawer o helyntion yn codi o wrthdaro rhwng teuluoedd bonedd pwysig. Gŵyr pawb am y dial rhwng teuluoedd yn yr Eidal a oedd yn sail i ddrama Shakespeare *Romeo and Juliet*, ac roedd ymddygiad tebyg yn gyffredin yng Nghymru hefyd. Sonia Gerallt Gymro (tua 1191) am ddau uchelwr Normanaidd yn lladd Seisyll ap Dyfnwal, ei fab, a nifer o Gymry eraill yng Nghastell y Fenni yn 1175. Dialodd teulu Seisyll arnynt trwy gipio a llosgi'r castell, ac ymhen blynyddoedd wedyn, lladdwyd un o'r Normaniaid mewn ysgarmes, a dim ond o drwch blewyn y dihangodd y llall.

Sonia Syr John Wynn o Wydir am yr helbulon rhwng teuluoedd, a hyd yn oed o fewn teuluoedd yng Ngwynedd, ganrif a mwy cyn ei amser ef. Mae ei gyfrol *A History of the Gwydir Family* yn disgrifio sawl ffrwgwd gwaedlyd yn y bymthegfed ganrif rhwng aelodau o deuluoedd bonheddig, gan gynnwys ei hynafiaid ef ei hun, yn enwedig yn Eifionydd a Nantconwy.

Mae dogfennau llysoedd a fu'n ymwneud â Chymru o gyfnodau'r Tuduriaid a'r Stiwartiaid yn frith o gyfeiriadau at droseddau fel 'riot' ac 'affray' (sy'n golygu ysgarmes). Casglwyd cannoedd ohonynt gan Syr Ifan ab Owen Edwards o hen gofnodion Llys y Seren, a gynhelid yn Llundain hyd at 1640. Ceir llawer eto yng nghofnodion Cyngor Cymru a'r Mers, a oedd yn cwrdd yn Llwydlo, yn perthyn i'r un cyfnod. Daw eraill o gofnodion Llys y Sesiwn Fawr, a fu'n barnu achosion yng Nghymru tan 1830.

Ceir cofnod hyd yn oed am yr aderyn brith hwnnw Twm Sion Cati, pan oedd yn ynad heddwch parchus yn niwedd ei oes, ac yn dwyn achos gerbron Llys y Seren. Yn 1601 cwynodd Twm fod Morgan Dafydd, ficer Tregaron, a'i weision wedi ymosod ar Twm a'i weision yntau ar ganol cyfarfod o Lys y Plwyf yn Nhregaron. Ar yr achlysur hwnnw ar 16 Ebrill, daethai Morgan Dafydd â chyllell gydag ef i drywanu Twm, ond gwelodd rai o'r trigolion ef yn estyn am y gyllell, ac fe'i gwthiwyd o'r neilltu.

Y Siartwyr a'u Nod

Deilliodd dau o derfysgoedd mawr Cymru o fudiad y Siartwyr, sef terfysgoedd Llanidloes a Chasnewydd yn 1839. Haerwyd yn aml mai ymgais i sbarduno gwrthryfel gwleidyddol trwy Brydain oedd Terfysg Casnewydd: roedd un gangen o fudiad y Siartwyr yn ffafrio defnyddio trais arfog i ddisodli'r hen drefn aristocrataidd. Mae'n ddiddorol fod un o haneswyr pwysicaf yr hen derfysgoedd, David Jones, wedi galw'i lyfr am derfysg Casnewydd yn *The Last Rising*. Yn yr un modd, rhoddodd Gwyn A. Williams y teitl *The Merthyr Rising* i'w gyfrol yntau am derfysg Merthyr. Mae'r ymadrodd 'rising', fel y gair Saesneg arall sy'n cael ei ddefnyddio'n aml am derfysgoedd Casnewydd a Merthyr, 'insurrection', yn golygu math o wrthryfel. Mae'n arwyddocaol mai am 'deyrnfradwriaeth' a 'rhyfela yn erbyn y Frenhines a'i llywodraeth' yr erlynwyd John Frost ac arweinwyr eraill cyrch Casnewydd, yn hytrach na 'therfysg' cyffredin.

Terfysg Casnewydd 1839: fe welir y Siartwyr wedi ymgynnull yn dyrfa o flaen gwesty'r Westgate, a'r mwg o'r drylliau a daniwyd yn y terfysg yn amlwg.

Milwyr mewn Terfysg

Gwelwyd milwyr arfog droeon mewn terfysgoedd. Bu dicter cyhoeddus amlwg pan laddwyd 11 o bobl ac anafu 400 gan gleddyfau milwyr mewn torf heddychlon yn St Peter's Fields, Manceinion, yn 1819, digwyddiad a gofir fel y 'Peterloo Massacre'. Fyth oddi ar hynny, fe'i hystyriwyd yn un o hawliau sylfaenol y bobl na ddylai milwyr ymosod arnynt, ac eithrio mewn argyfwng penodol a than orchymyn rhywun mewn awdurdod cyhoeddus. Gwelwyd hyn ar waith yn nherfysgoedd Merthyr a Chasnewydd yn yr 1830au, lle defnyddiwyd milwyr i gynorthwyo'r ynadon lleol. Serch hynny, fe welwn fod milwyr wedi cael eu galw'n aml iawn i 'gynorthwyo'r pŵer sifil' mewn terfysgoedd yng Nghymru, ond prin fu'r adegau pan drodd y milwyr eu gynnau ar y dorf a'u tanio.

Mae'r defnydd o drais gan yr awdurdodau mewn terfysgoedd a phrotestiadau cyhoeddus yn destun dadleuol hyd heddiw. Cafwyd cwyno mawr pan drawyd pobl nad oeddynt yn cyflawni unrhyw drais gan yr heddlu mewn protestiadau gwleidyddol yn Llundain yn y blynyddoedd diwethaf. Ar y llaw arall, beirniadwyd yr heddlu gan y wasg a llawer o bobl leol am beidio ag ymyrryd yn ddigon buan pan oedd siopau ac eiddo yn cael eu difrodi. Yn nherfysgoedd haf 2011, nid oedd digon o heddlu ar y strydoedd pan ddechreuodd y terfysg, ond hanfod terfysg yw ei fod yn tyfu'n gyflym ac yn ymledu'n wyllt wrth i ardaloedd a phobl eraill gael eu dal yn ei drobwll – naill ai'n derfysgwyr neu'n ddioddefwyr.

Plismon ar gefn ceffyl yn ceisio cadw trefn yn ystod terfysgoedd haf 2011 yn Llundain.

TERFYSGOEDD ŶD

Darlun gan Samuel a Nathaniel Buck o dref Caerfyrddin yn 1740. Mae'n dangos y castell a'r glanfeydd ar lan afon Tywi. Ar y pryd roedd Caerfyrddin yn borthladd o bwys, a byddai llongau hwyliau yn cludo ŷd a chynhyrchion eraill oddi yno.

Un o brif achosion terfysgoedd torfol o tua 1700 tan tua 1820 oedd prinder ŷd a'r prisiau uchel a godid pan oedd ŷd yn brin. Dywedai nifer o ymwelwyr â Chymru mai ar fara a llaeth yr oedd tyddynwyr a gweithwyr fferm Cymru yn byw. Byddent yn bwyta llymru – ceirch wedi eu berwi mewn dŵr – ar gyfer sawl pryd. Roeddent hefyd yn bwyta uwd a bara wedi ei wneud â haidd neu geirch – byth, bron, â gwenith. Felly, os oedd y cynhaeaf yn wael a phris ŷd yn uchel, buan iawn y deuai'n argyfwng ar y tyddynwyr ac ar y llafurwyr a oedd heb dir i dyfu'r ŷd eu hunain.

Ers canrifoedd, buasai'r ynadon lleol yn ceisio atal prinder rhag troi'n newyn yn eu milltiroedd sgwâr eu hunain trwy fanteisio ar hen ddeddfau oedd yn gwahardd gwerthu cynnyrch o law i law cyn iddo gyrraedd y farchnad agored. Gallent wahardd 'allforio' ŷd o'r fro mewn cyfnodau o brinder. Byddai penderfyniadau fel hyn yn lleihau'r perygl o derfysg mewn cymunedau oedd ar eu cythlwng.

At ei gilydd, ychydig o wenith fyddai'n cael ei dyfu yng Nghymru. Barlys (haidd) oedd y cnwd grawn gorau a geid yn y rhan fwyaf o'r wlad, a cheirch yn unig a gawsai ei dyfu yn yr ucheldir. Bara ceirch neu fara haidd roedd y mwyafrif o bobl Cymru yn eu bwyta. Roedd y dorth wenith yn rhy ddrud, a chawsai'r gwenith i gyd ei werthu er mwyn i'r ffermwyr allu talu'r rhenti ar eu ffermydd.

Roedd galw arall am y cynnyrch yn ychwanegol at wneud bara, hyd yn oed haidd. Defnyddid barlys i fragu cwrw, sef diod mwyaf cyffredin y cyfnod. Bu protestio ar adegau o brinder am fod bragwyr yn prynu'r cyflenwad bron i gyd, gan adael dim ond ychydig ar ôl i'w fwyta.

Yn wyneb y cyfuniad hwn o anawsterau, nid oes ryfedd iddynt arwain at nifer fawr o derfysgoedd ŷd, a oedd yn aml yn dilyn patrwm syfrdanol o debyg.

Ym mis Mai 1740 gorymdeithiodd tua 400 o bobl o Sir y Fflint, llawer ohonynt yn fwynwyr a glowyr, i dref Rhuddlan, a oedd yn borthladd prysur bryd hynny. Cipiwyd llond trol o ŷd, y tybiwyd ei fod yn barod i'w allforio. Yna, torrwyd i mewn i stordai ŷd yn Rhuddlan a chipio mwy o rawn. Cyn bo hir daeth tua 300 o bobl o Ddyffryn Clwyd, yn enwedig o dref Dinbych, i ymuno â'r dyrfa wreiddiol. Aethant ymlaen i drefi Abergele a Chonwy. Porthladdoedd oedd y rhain hefyd, ac roedd y gweithwyr yn benderfynol o atal unrhyw allforio ŷd yn wyneb y tlodi mawr.

Aeth torf o Ddinbych wedyn i bentrefi cyfagos Henllan a Llanefydd, gan ymosod ar ffermydd lle tybid bod ŷd yn cael ei ddal yn ôl o'r farchnad er mwyn cadw'r pris yn uchel. Ar un fferm bu ymladd ffyrnig rhwng y protestwyr â phobl leol, ffermwyr a gweision. Lladdwyd un gwas ac anafwyd nifer ar y ddwy ochr.

Yn y man, daeth swyddogion, ynadon heddwch a phobl eraill o dref Dinbych, rhai ohonynt ar eu ceffylau, i atal a gwasgaru'r dorf. Aeth yr awdurdodau ati i geisio dal y terfysgwyr, ac fe garcharwyd nifer ac alltudiwyd eraill i America neu'r Caribî.

Ymysg y cyhuddiadau a ddygwyd yn erbyn y rhai a arestiwyd oedd torri ffenestri clerc y plwyf yn Rhuddlan, agor hocsiad o seidr a oedd wedi ei dwyn yn y Foryd, y Rhyl a'i hyfed, a dwyn ŷd a siwgr o storfa George Colley, asiant yn Rhuddlan. Glowyr o ardal Chwitffordd, Sir y Fflint, oedd y rhan fwyaf o'r rhai a arestiwyd, yn ogystal ag ambell forwr, cychwr, crydd a thorrwr meini. Yn eu mysg roedd tri gŵr a oedd, bron yn sicr, yn frodyr: Simon a Jonathan Jones yn lowyr, a Daniel Jones yn forwr.

Bu terfysg yng Nghaerfyrddin ym mis Ionawr 1757. Torrodd grŵp o weithwyr i mewn i storfa ŷd yn y dref, ond cawsant eu gwasgaru gan bobl y dref. Bu cyrch arall gan lowyr a gwŷr y badau ym mis Mai, ond y tro hwn roedd milwyr yn eu haros, a lladdwyd pump o'r terfysgwyr yn yr ysgarmes.

Gwelwyd cynnydd mewn terfysgoedd o'r fath o 1792 ymlaen. Cafwyd cynhaeaf gwael iawn y flwyddyn honno, gan beri i bris ŷd godi'n syfrdanol. Bu terfysg yn Abertawe oherwydd pris uchel yr ŷd, a chipiwyd storfeydd grawn yno. Gweithwyr diwydiannol oedd yr arweinwyr yn y terfysg hwn, fel yn y mwyafrif o achosion.

Ceir hanes hefyd am derfysg yn Amlwch yn 1817, canolfan bwysicaf y diwydiant copr yng Nghymru ar y pryd. Ar ddiwedd y ddeunawfed

Tref Rhuddlan, ar lan afon Clwyd, pan oedd yn borthladd: fe welir glanfa i longau hwyliau ger y bont. Cawsai ŷd ei allforio oddi yno yn y ddeunawfed ganrif.

ganrif, y diwydiant hwn oedd y pwysicaf yn y byd, ac roedd cloddfeydd copr Mynydd Parys yng ngogledd Môn yn gyfrifol am draean o'r cynnyrch Prydeinig. O borthladd Amlwch y cafodd y copr ei allforio, ond roedd peth o'r mwyn yn cael ei doddi yno hefyd; cawsai glo ei fewnforio trwy Borth Amlwch ar gyfer y toddfeydd.

Roedd nifer helaeth o boblogaeth y fro yn gweithio i'r diwydiant yr adeg honno, gan gynnwys dynion a merched. Roedd y 'copor ladis' yn malu'r clapiau o fwyn copr yn fân ar gyfer eu toddi gan ddefnyddio morthwylion, a gallent ennill hyd at 5 swllt yr wythnos.

Bu gostyngiad ym mhris copr yn ystod 1815–19, ac yr oedd cynhaeaf 1816 yn drychinebus o wael; felly roedd llawer o weithwyr ardal Amlwch mewn tlodi mawr erbyn y gaeaf, gan fod y cyflogau'n isel a diweithdra'n uchel. Unwaith eto, pryder ynglŷn ag allforio ŷd mewn adeg o gyni a daniodd y terfysg.

Ar 28 Ionawr 1817, ymosododd tyrfa fawr ar long y *Wellington* ym Mhorth Amlwch, a hithau'n llawn o geirch i'w hallforio. Cipiwyd llyw'r llong a'i guddio rhag iddi hwylio, a mynnodd y dorf fod yr awdurdodau'n prynu'r llwyth ceirch ar gyfer y gymuned. Fel yn achos terfysgoedd eraill, roedd merched yn amlwg yn y torfeydd a fu'n rhwystro'r llong ŷd rhag hwylio.

Trafodwyd neilltuo £300 tuag at brynu ŷd i'r tlodion ers tro mewn cyfarfod cyhoeddus, ond ni weithredwyd ar hyn. Ceisiwyd adfer trefn drwy ddefnyddio cwnstabliaid arbennig, ond aflwyddiannus fu hynny, ac yn y diwedd anfonwyd am y fyddin. Fe ddaeth 164 o filwyr dros y môr o Iwerddon i Gaergybi. Wedi iddynt gyrraedd Amlwch, llwyddwyd i roi llyw'r *Wellington* yn ei ôl, a chafodd y llong hwylio gyda'i llwyth. Yn y cyfamser, roedd boneddigion lleol wedi bod yn casglu arian i geisio lleihau'r tlodi yn y fro, a daeth cyflenwadau o ŷd i Amlwch erbyn y gwanwyn. Arhosodd y milwyr ym Môn tan ddiwedd Mawrth, ac erbyn hynny roedd wyth o arweinwyr y terfysg dan glo.

Peintiad gan William Daniell o harbwr porthladd Amlwch yn nechrau'r bedwaredd ganrif ar bymtheg. Amlwch oedd y prif borthladd ar gyfer allforio copr o Fynydd Parys, ond cawsai cynnyrch ffermydd Ynys Môn ei allforio oddi yno hefyd.

Ardal eang o dir mynydd yng Ngheredigion yw'r Mynydd Bach, lle bu cyfres o brotestiadau yn erbyn cau tiroedd comin.

CAU TIROEDD COMIN

Rhyfel y Sais Bach

Ar noson o haf yn 1820, ymosododd criw o tua 20 i 30 o ddynion ar dŷ a oedd newydd ei adeiladu ar rostir agored Mynydd Bach, Ceredigion. Cipiwyd y perchennog a'i ddal yn wystl tra llosgwyd y tŷ yn ulw. Ciliodd y llosgwyr dros grib y mynydd gyda'r wawr.

Dyma un o'r gyfres o helyntion a gofir heddiw fel Rhyfel y Sais Bach. Y 'Sais Bach', sef perchennog y tŷ a losgwyd, oedd Augustus Brackenbury, gŵr bonheddig ifanc o Swydd Lincoln. Roedd wedi etifeddu swm o £4,000 ar ôl ei dad, ac fe benderfynodd brynu tir a chreu ystad gyda'r arian. Ar y pryd, roedd miloedd o aceri o hen diroedd y Goron ar werth yng Ngheredigion, yn dilyn dwy ddeddf cau tiroedd a basiwyd gan y Senedd yn 1812 ac 1815. Llwyddodd Brackenbury i brynu 856 acer o dir am bris rhad o tua dwy bunt yr acer, ac yntau heb fawr iawn o wybodaeth am y fro na'i phobl.

Dyma oedd achos y llosgi a welwyd ar y Mynydd Bach y noson honno, rhan o adwaith cymuned werinol wledig i'r anghyfiawnder o gau tiroedd comin. Un yn unig o ddwsinau o brotestiadau a welwyd yn erbyn cau tiroedd yng Nghymru, yn bennaf yn y bedwaredd ganrif ar bymtheg, oedd Rhyfel y Sais Bach.

Roedd y term 'cau tiroedd' yn cynnwys tair elfen:

1. ad-drefnu tiroedd ar wasgar oedd yn perthyn i'r un person nes eu bod yn gryno gyda'i gilydd;
2. codi cloddiau a thyllu ffosydd o'u cwmpas a chreu'r clytwaith o gaeau sy'n gyfarwydd inni heddiw, yn ogystal â chreu ffyrdd cysylltiol rhwng y ffermydd ac at y briffordd;
3. dileu hen hawliau cymunedol, sef 'hawliau comin' a berthynai i rai o'r tiroedd hyn eisoes, a'u troi'n diroedd cwbl breifat a phersonol, gan ddigolledu trigolion dilys y comin am yr hawliau traddodiadol a ddiflannodd.

Y tir comin oedd â'r nifer mwyaf o hawliau traddodiadol, gan ei fod yn aml yn rhy wael i'w aredig ond yn addas fel tir pori. Gelwid ef weithiau yn 'dir wast', gan nad oedd yn dir llafur i gynhyrchu ŷd nac yn cynnwys gweundir a gynhyrchai wair. Ond mewn gwirionedd gwnaed cryn ddefnydd o'r tiroedd comin.

Defnyddid y tir comin yn borfa i wartheg a defaid, ceffylau a merlod; cawsai moch eu pesgi yn y coed yn yr hydref a choed tân ei gasglu o blith y coed crin a'r brigau oedd wedi disgyn ar lawr.

Cawsai mawn ei dorri ar gyfer tanwydd ac i doi bythynnod, a rhedyn yn wely i anifeiliaid ac yn danwydd. Lle ceid afon neu lyn ar y comin, câi'r trigolion bysgota yno yn ogystal.

Y defnydd mwyaf dadleuol o dir comin erbyn tua 1800 oedd er mwyn adeiladu anhedd-dai i dlodion y fro. Yn aml câi'r arferiad ei oddef gan awdurdodau'r plwyfi. Gwelid hyn fel dull o wneud y tlodion yn hunangynhaliol, ac felly'n llai o faich ar dreth y plwyf yr oedd yn rhaid i bob tirfeddiannwr ei dalu. Serch hynny, gwrthwynebai rhai tirfeddianwyr yr arfer am ei fod yn rhwystro defnydd mwy proffidiol o gannoedd o aceri o dir. 'Tai unnos' oedd nifer o'r bythynnod hyn.

Roedd coel gwerin fod gan y sawl a godai fwthyn ar y comin rhwng cyfnos a gwawr, a mwg yn dod o'r simdde erbyn y bore, yr hawl i gadw'r bwthyn a byw ynddo am byth. Gwaith tîm o berthnasau a chyfeillion fyddai hyn, wrth gwrs, a muriau o dywyrch a fyddai gan y bwthyn fel arfer.

Yn aml iawn, câi'r tŷ ei addasu wedyn dros gyfnod o fisoedd neu flynyddoedd drwy roi waliau cerrig iddo. Mae sôn hefyd am adeiladydd tŷ unnos yn taflu bwyell o'r drws mewn ambell fro, a chael yr hawl i ffensio'r tir o gwmpas y tŷ hyd at bellter tafliad y fwyell.

Newid ym Myd Ffermio

Yn y ddeunawfed ganrif, dechreuodd cyfnod o 'welliannau amaethyddol', sef gwneud defnydd mwy effeithiol o adnoddau'r tir. Golygai gylchdroi cnydau fel gwenith a barlys o un cae i'r llall, tyfu mwy o wreiddlysiau fel maip yn borthiant i'r da byw, gwrteithio mwy ar y tir a bridio da byw gwell. Un o oblygiadau'r newidiadau hyn oedd codi cloddiau o gerrig a phridd: byddai'r rhain yn cadw'r da ar wahân, yn cadw'r anifeiliaid o'r tir llafur ac yn galluogi'r amaethwr i arbrofi â dulliau neu gynnyrch newydd yn y caeau caeedig.

Bu cynnydd mawr mewn cau tiroedd yng Nghymru o gwmpas cyfnod y rhyfeloedd â Ffrainc (1793–1815) pan oedd pris ŷd yn uchel, ond hefyd yr oedd galw am ddefnyddio tir uchel i gynhyrchu cig a gwlân, gan neilltuo'r tir isel fwyfwy ar gyfer tyfu ŷd. Gwelwyd mwy o werth, felly, ar hen diroedd comin a geid yn yr ucheldir fel arfer.

Bwriad Augustus Brackenbury ar y Mynydd Bach oedd creu ffermydd proffidiol ar ei ystad a chodi bythynnod safonol i'w gosod i ddeiliaid y mynydd, lle gallent gyfuno'u hincwm o'r tyddyn â gwaith cyflog fel llafurwyr ar y ffermydd. Ond ni fynnai'r tyddynwyr dalu rhent o gwbl, rhag iddynt ildio'r egwyddor mai nhw oedd yn berchen ar eu tyddynnod.

Helynt Llanddeiniolen

Dechreuodd helynt ym mhlwyf Llanddeiniolen yn Arfon yn 1805, pan geisiodd Thomas Assheton Smith, sgweier y Faenol ger Bangor, ganiatâd y Senedd i gau tiroedd comin ar Fynydd Elidir. Roedd y tir yn rhan o hen faenor Dinorwig, maenor yr oedd yntau'n arglwydd arni. Cawsai arolwg o'r tir ei gynnal yn 1802, a chanfu fod 22 o 'sgwatwyr' yn byw ar y comin a wrthodai dalu rhent i'r ystad.

Llwyddodd Assheton Smith i sicrhau deddf seneddol yn caniatáu iddo gau'r tir yn 1806. Yna, penodwyd Comisiynydd Cau Tir i wneud arolwg o'r tir a phawb oedd ag unrhyw hawliau arno. Mesurwyd yr holl dir a'i fapio'n fanwl.

Cyn i'r gwaith hwnnw gael ei orffen yn Llanddeiniolen, bu gwrthdaro rhwng tîm y Comisiynydd a'r bythynwyr ar y comin. Ym mis Medi 1809, bu cynnwrf pan ddechreuodd chwarelwr o'r

Rhan o bentref Pistyll, heb fod ymhell o Nefyn, yn Llŷn. Yma y bu terfysg yn erbyn cau tir yn 1812 a arweiniodd at gosbi llym.

enw Ellis Evan godi bwthyn newydd ar ddarn o'r comin. Daeth John Evans, twrnai o Gaernarfon, a chlerc y Comisiwn Cau Tiroedd yno gyda chriw o ddynion i ddymchwel y tŷ. Aeth rhywun â neges at Ellis Evan, a daeth yntau â chriw o'i ffrindiau o chwarel gyfagos i'w rhwystro, gan daflu tywyrch atynt. Bu'n rhaid i dîm y Comisiwn ffoi. Rhoddwyd cynnig arall arni gan y cwnstabliaid a bygythiwyd y Ddeddf Derfysg, ond daliodd y protestwyr eu tir. Bu ysgarmes eto ymhen rhai dyddiau a bu'n rhaid i'r fintai gilio, er i'r Ddeddf Derfysg gael ei darllen y tro hwn.

Galwyd milwyr i'r fro, ac fe fuont yno am rai wythnosau. Erlynwyd deuddeg o bobl am y terfysg, ond roedd pedwar ohonynt wedi ffoi. Daethpwyd ag achos yn erbyn wyth o bobl gerbron Llys y Sesiwn Fawr: saith chwarelwr – Ellis Evan yn eu plith – ac un wraig, Margaret Owen. Tybed ai hi a aeth ar neges i alw'r chwarelwyr o'u gwaith? Carchar a gafwyd beth bynnag, ond yn 1810 cawsant bardwn brenhinol i ddathlu Jiwbilî Aur y Brenin Siôr III.

Tristach fu hynt dau brotestiwr o Lithfaen yn Llŷn yn 1812. Gwnaed cynllun enfawr i gau tiroedd ym mhlwyfi Nefyn, Pistyll, Carnguwch, Llanaelhaearn, Clynnog a Llanllyfni. Unwaith eto, aeth tîm o syrfewyr a mesurwyr i'r fro, ac ym Mhistyll ym mis Medi, cawsant eu peledu gan dyrfa o ddeugain o bobl. Bu helynt pellach yn fuan wedyn, a galwyd milwyr i'r cylch. Tacteg y protestwyr oedd cuddio, ac ar alwad corn cragen, taflu cawod o dywyrch at y milwyr a'r syrfewyr. Daliwyd arweinydd y brotest, labrwr o'r enw Robert William Hughes, yn cuddio mewn caets bara o dan do ei fwthyn.

Yn 1813 cafodd ei ddedfrydu i'w grogi am derfysgaeth, ond fe liniarwyd y ddedfryd i alltudiaeth am oes yn Botany Bay, Awstralia. Yno y bu farw yn 70 oed yn 1831.

Dedfrydwyd gŵr arall i'w grogi hefyd, sef David Rowlands, crydd o ran ei waith, ond nid oes cofnod iddo gael ei grogi na'i alltudio, ac mae ei dynged yn ddirgelwch hyd heddiw. Ymysg y lleill a arestiwyd yr oedd gwragedd y ddau arweinydd. Yn wir, merched oedd pump o'r saith a erlynwyd yn sgil terfysg Pistyll.

Dwyn y Comin

Dywed hen rigwm Cymraeg:

> Carchar a chosb i'r dyn cyffredin
> Am ddwyn yr ŵydd oddi ar y comin;
> Ond parch a geir, ac uchel swydd
> Am ddwyn y comin oddi ar yr ŵydd.

Pobl gyffredin a thlawd eu byd fel arfer oedd y rhai a fentrai ddwyn gŵydd neu botsio ar dir y sgweier, ond pobl gefnog a dylanwadol oedd y rhai a fyddai'n 'dwyn y comin', a nhw fyddai'n ennill gan amlaf. Serch hynny, ceir un achos hynod o dyddynwyr yn trechu'r 'mistar'.

Yn 1826 ceisiodd yr Arglwydd Newborough, sgweier Glynllifon ger Caernarfon, gael yr hawl i gau tir ar Fynydd Cilgwyn, lle roedd cymuned o 700 o bobl wedi ymsefydlu ar y comin ym mhentref Rhostryfan. Roedd 141 o fythynnod yno, rhai wedi'u codi ers dros ddeugain mlynedd. Yn ffodus, roedd un o feibion y fro, Griffith Davies, yn gyfrifydd llwyddiannus yn Llundain ac yn gwneud cyfrifon ar gyfer boneddigion dylanwadol. Cynorthwyodd y pentrefwyr i lunio deiseb yn dangos iddynt droi hen dir diffaith yn bentref o dyddynnod amaethyddol hunangynhaliol. Cafodd y ddeiseb gryn sylw yn y wasg a chefnogaeth yn Nhŷ'r Cyffredin. Yn y diwedd, rhoddodd yr Arglwydd Newborough y ffidil yn y to, a daeth Rhostryfan yn un o bentrefi prysur bro'r chwareli llechi yn Arfon.

Pentref Rhostryfan yn Arfon, fel y mae heddiw. Saif y pentref ar ran o hen dir comin eang a arbedwyd rhag ei gau gan y bobl leol a Griffith Davies, cyfrifydd a mathemategydd o athrylith.

TERFYSG MERTHYR 1831

Ffotograff cynnar o waith haearn mawr Cyfarthfa, eiddo teulu pwerus Crawshay ym Merthyr Tudful. Teulu Crawshay oedd prif gyflogwyr y dref, a bu'r penderfyniad i ostwng cyflogau eu gweithwyr yn sbardun i derfysg yn 1831.

Gŵr ar Grocbren

Ar fore o Awst yn 1831, daeth gosgordd dawel o garchar Caerdydd a cherdded i Heol y Santes Fair, lle codwyd sgaffald mawr pren. Yno, o flaen torf dawel o gannoedd – os nad miloedd – o bobl, dienyddiwyd gŵr ifanc 23 oed ar grocbren. Cyn ei grogi fe ddywedodd: 'Arglwydd, dyma gamwedd'. Caeodd siopau Caerdydd am y diwrnod, ac roedd rhyw ddwyster anesmwyth trwy'r ddinas. Yn y dorf roedd ei wraig, yn ôl traddodiad, yn cario baban bychan newydd-anedig nad oedd ei dad wedi ei weld hyd yn oed.

Richard Lewis neu Dic Penderyn oedd y gŵr ifanc hwn. Ond beth a arweiniodd at yr olygfa drist a welwyd yng Nghaerdydd yr haf hwnnw? A beth oedd y camwedd y soniai amdano cyn ei farw? I olrhain yr hanes, rhaid teithio i dref ddiwydiannol Merthyr Tudful, a oedd yn llawer mwy ei maint a'i phoblogaeth na Chaerdydd yn y dyddiau hynny. Merthyr, yn wir, oedd un o drefi diwydiannol pwysicaf Ewrop, ac yn 1831 fe drodd anfodlonrwydd dwfn y gweithwyr yn derfysg yno.

Achosion Terfysg

Roedd nifer o resymau am Derfysg Merthyr. Canlyniad dirwasgiad economaidd1829 oedd gwneud cannoedd yn ddi-waith, a llawer ohonynt ar y plwyf, a olygai eu bod yn derbyn arian o Dreth y Tlodion. Gostyngwyd cyflogau hefyd gan rai meistri.

Yn dilyn ethol plaid y Chwigiaid i rym yn 1830, bu ymgyrch i ddiwygio'r Senedd ac ehangu'r bleidlais i gynnwys mwy o bobl. Roedd cefnogwyr y Chwigiaid, llawer ohonynt yn gyflogwyr ac yn bobl gefnog ag eiddo ganddynt, wedi bod yn amlwg mewn cyrddau cyhoeddus swnllyd o blaid Deddf Diwygio'r Senedd. O gefnogi'r ymgyrch, credai'r gweithwyr y byddent hwythau ar eu hennill.

Y Siopau Tryc

Un o gŵynion mawr y gweithwyr diwydiannol oedd y siopau 'tryc', siopau a oedd yn perthyn i'r cwmnïau a'r gweithfeydd mawr. Byddai'r cwmni yn talu cyflogau'r gweithwyr mewn tocynnau o gopr neu efydd, nid mewn arian sychion. Dim ond yn siop y cwmni y byddai'r tocynnau hyn yn ddilys, ac felly ni fedrai siopau eraill gystadlu. Canlyniad hyn oedd fod prisiau'r siop tryc yn uchel a'r gweithwyr yn methu cael eu nwyddau o unman arall. Yn aml ceid system o is-gontractio gyda gwahanol fathau o waith: cyflogi grwpiau cyfan o weithwyr, *butties* a gâi eu talu ar ddiwedd y gwaith – y 'Pae Mawr'. Byddai'r gweithwyr hyn yn aml yn mynd i ddyled yn y siop yn y cyfnod rhwng dau gyflog.

Yn y cymoedd glofaol, roedd nifer o'r di-waith a'r rhai ar gyflogau llai yn methu talu eu biliau. Defnyddid y Llys Dyledion i atafaelu eiddo, gan ennyn llawer o ddicter.

O gefn gwlad Morgannwg neu Sir Gaerfyrddin y daethai llawer o weithwyr Merthyr yn wreiddiol. Roedd traddodiad o brotestio cymunedol yn gryf yng nghefn gwlad, gan gynnwys defnyddio dulliau fel gorymdeithio ag arwydd y 'ceffyl pren', sef bygwth gelynion â 'ffug-brawf' i godi braw a chywilydd ar unigolion a ddeuai o dan wg y gymuned.

Cyrhaeddodd undeb llafur fawr o'r enw The National Association for the Protection of Labour i faes glo'r de oddeutu 1830 a newid yr hinsawdd gwleidyddol. Dim ond yn 1824–25 y cyfreithlonwyd undebau llafur wedi gwaharddiad hir er 1797. Gwelai rhai o'r gweithwyr arf grymus yn yr undeb i sicrhau tegwch.

Dyddiau o Derfysg

Dechreuodd y terfysg ym mis Mai wrth i lowyr Crawshay ymosod ar dai'r Toriaid a oedd yn erbyn diwygio'r Senedd. Ar ôl i feiliaid gipio cist o eiddo Lewsyn yr Heliwr (Lewis Lewis), un o'r arweinwyr, ymledodd y brotest. Gorymdeithiodd torf i Ferthyr ar 2 Mehefin a chipio'r eiddo a gymerwyd i'w ddychwelyd i'r perchnogion. Llosgwyd y Llys Dyledion, lle a oedd yn destun atgasedd amlwg i'r dorf.

Ar 3 Mehefin ymosodwyd ar y Castle Inn ym Merthyr, a dyma oedd prif ddigwyddiad y terfysg. Yno roedd yr ynadon a rhai o bobl bwysicaf y cylch wedi ymgasglu, yn cynnwys tri diwydiannwr mawr: Josiah John Guest, William Crawshay ac Anthony Hill. Erbyn hyn roedd milwyr wedi cael eu galw ar ôl i'r ynadon anfon llythyrau taer i'r Swyddfa Gartref.

Ceisiodd yr ynadon dawelu'r dorf o flaen y gwesty, a bu Guest a Crawshay eu hunain yn galw ar y dorf i ymbwyllo. Safai'r milwyr yn rhengoedd o flaen y gwesty tra oedd Lewsyn yr Heliwr yn annerch y dorf, gan eu cymell i wthio heibio'r milwyr a chipio'r adeilad. Taflwyd cerrig at y milwyr. Roedd y Ddeddf Derfysg wedi ei darllen, ac wedi iddynt dderbyn gorchymyn pendant, defnyddiodd y milwyr eu bidogau ar y dorf. Yna, fe daniodd y milwyr i ganol y dorf, a oedd ychydig droedfeddi yn unig oddi wrthynt. Bu ysgarmes ffyrnig, cipiwyd drylliau rhai o'r milwyr gan y dorf, a gwthiodd rhai o'r protestwyr i mewn i'r gwesty. Ffodd cannoedd o bobl eraill yn wyllt o'r fan, gan adael 24 protestiwr yn farw, a dwsinau – efallai gant neu fwy – wedi eu hanafu. Clwyfwyd tua 50 o filwyr, o leiaf chwech ohonynt yn ddifrifol.

Darlun o Stryd Fawr Merthyr a'r Castle Inn ar y dde, yn ogystal â siop barbwr James Abbott (gyda'r polyn), fu'n dyst allweddol yn erbyn Dic Penderyn.

Penllanw a Thrai

Cythruddwyd yr ardal gan gyflafan y Castle Inn. Roedd 'byddin' y gweithwyr yn rheoli llawer o'r fro, ac ar gomin Hirwaun, trochwyd baner mewn gwaed llo i greu baner goch. Ataliwyd mintai Iwmyn Abertawe ar fin y ffordd o Aberhonddu a dwyn eu harfau, trechwyd carfan o wŷr meirch hefyd a anfonwyd yn erbyn y terfysgwyr â'r gynnau yr oeddent wedi eu dwyn.

Er i Crawshay a'r meistri eraill fod o dan warchae ym Mhlas Penydarren am rai dyddiau, ni chipiwyd y lle, a chiliodd nifer o'r terfysgwyr wrth i fwy o filwyr gyrraedd.

Rhoddwyd 28 o bobl ar brawf gerbron yr Ustus Bosanquet ym Mrawdlys Morgannwg yng Nghaerdydd ar 9 Gorffennaf, ond dim ond deuddeg a ddedfrydwyd, a'u cosbi â thrawsgludiad i Awstralia. Ar 16 Gorffennaf, dedfrydwyd dau i'w crogi, sef Lewsyn yr Heliwr a Dic Penderyn (Richard Lewis). Roedd rhan Lewsyn yn amlwg iawn yn yr helynt, ond pwy oedd Dic Penderyn?

Tynged Dic Penderyn

Gŵr ifanc a aned yn Aberafan oedd Richard Lewis neu Dic Penderyn. Bu'n fwynwr haearn ac yn haliwr (cludwr y mwyn), a chawsai ei adnabod fel dyn cydnerth a pharod ei ddyrnau. Erbyn 1830, roedd yn briod ac yn byw ym Mhenderyn. Yn ystod mis Mai'r flwyddyn honno bu Dic yn cefnogi'r ymgyrch dros ddiwygio ac ehangu'r bleidlais, ac roedd yn bresennol ger y Castle Inn ar 3 Mehefin.

Tafarn sy'n dwyn enw Dic Penderyn ym Merthyr Tudful, gyferbyn â'r dafarn hon mae safle'r Castle Inn lle digwyddodd y terfysg.

Cyhuddwyd Dic o drywanu milwr o'r enw Donald Black yn ei goes â bidog. Gwadodd hyn, ac yn wir, ni allai Black ei hun ei adnabod. Y prif dyst yn ei erbyn oedd barbwr o'r enw James Abbott, cwnstabl arbennig o flaen y Castle Inn, a glynodd hwnnw wrth ei stori. Abbott aeth â Black i gael trin ei glwyf.

Dangosodd y llywodraeth drugaredd at Lewsyn yr Heliwr am ei fod wedi achub bywyd cwnstabl o'r enw John Thomas, a oedd yn derbyn curfa gan y dorf, a newidiwyd ei ddedfryd i drawsgludo. Bu ymgyrch fawr i gael trugaredd i Dic hefyd, a chafwyd tystiolaeth nad oedd yn rhan o'r ymladd o flaen y gwesty hyd yn oed.

Ond roedd yr Arglwydd Melbourne, yr Ysgrifennydd Cartref, yn credu bod perygl o wrthryfel ar raddfa eang gan y dosbarth gweithiol. Ni allai fforddio dangos unrhyw wendid yn wyneb terfysg, ac felly fe gadarnhaodd y gosb eithaf. Crogwyd Dic yng Nghaerdydd ar 13 Awst.

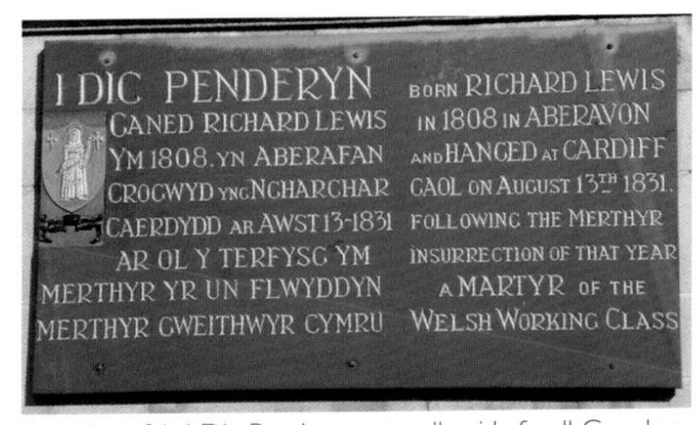

Dyma'r gofeb i Dic Penderyn y tu allan i Lyfrgell Ganolog Merthyr, sy'n dangos ei fod yn ffigwr o bwys hyd heddiw.

Merthyr y Gweithwyr

Parhaodd y dadlau ynglŷn ag achos Dic. Dros ddeugain mlynedd wedi'r crogi, yn 1874 dywedodd gweinidog ar ymweliad â Pennsylvania ei fod wedi derbyn cyffes gan ddyn o'r enw Ianto Parker ar ei wely angau mai ef a drywanodd Donald Black, nid Dic Penderyn.

Beth bynnag oedd y gwir, daeth Dic Penderyn yn ferthyr dros y dosbarth gweithiol, a'i ddienyddio yn symbol oesol o anghyfiawnder. Dadorchuddiwyd cofeb iddo ar fur Llyfrgell Ganolog Merthyr yn 1977 gan Len Murray, Ysgrifennydd Cyffredinol Cyngres yr Undebau Llafur ar y pryd.

SIARTWYR LLANIDLOES 1839

Hen neuadd farchnad Llanidloes a adeiladwyd yn wreiddiol yn y bymthegfed ganrif ac a addaswyd tua 1600. Yma y cyfarfu'r Siartwyr a'u cefnogwyr ar 29 Ebrill 1839 cyn y terfysg yng ngwesty'r Trewythen Arms.

Trefi Gwlân Maldwyn

Er mai sir wledig ar y cyfan oedd Sir Drefaldwyn yn oes Fictoria, roedd yno gryn brysurdeb diwydiannol. Roedd cynhyrchu gwlanen – math o liain gwlân bras – ar gynnydd yn nifer o drefi'r sir, yn enwedig yn y Drenewydd a Llanidloes. Roedd chwe ffatri wlân yr un yn y ddwy dref yn 1838, a rhai yn y Trallwng hefyd.

Cyfnewidiol fu hynt y fasnach wlanen, ac yn 1836 cafwyd dirwasgiad a olygodd gyflogau isel a diweithdra. Wynebai'r diwydiant gystadleuaeth lem gan drefi mawr gogledd Lloegr a oedd yn ganolfannau gwehyddu o bwys, yn enwedig trefi fel Rochdale.

Cawsai cyflogau gwael eu talu gan y cyflogwyr, yn amrywio o tua 7 swllt yr wythnos am 14 awr y dydd o waith yn Llanidloes i 11 swllt yr wythnos yn y Drenewydd. Roedd cyfran uchel o'r gweithlu yn ferched, a nifer mwy fyth yn bobl ifanc o dan ddeunaw oed. Er mor isel oedd eu cyflogau, byddai'n rhaid i'r gweithwyr brynu eu nwyddau yn siopau'r cwmnïau – yr hen siopau tryc a fuasai'n destun dadl mor allweddol yn Nherfysg Merthyr. Roedd prisiau yn y siopau hyn yn gyson yn uwch nag mewn siopau annibynnol.

Cwyn arall oedd y rhenti uchel am dai a llety. Gan fod cynifer o'r boblogaeth ar gyflogau isel iawn, byddai llawer yn dibynnu ar gymorth gan Dreth y Tlodion sef 'pres y plwyf', i gynorthwyo gyda'r rhent.

Bwgan y Wyrcws

Yn wyneb hyn, roedd y newidiadau a wnaed i Ddeddf y Tlodion yn 1834 yn ergyd i'r gweithwyr. Roedd perygl iddynt golli unrhyw gynhaliaeth ariannol mewn cyfnod o ddirwasgiad wrth i gymorth y plwyf gael ei ganoli yn y tlotai mawr newydd – y 'Wyrcws'. Yn 1837–38, dechreuwyd adeiladu wyrcws newydd ar gyfer cylch eang o 17 o blwyfi yng Nghaersŵs, tua hanner ffordd rhwng y Drenewydd a Llanidloes. Cododd hyn wrychyn y dosbarth gweithiol yn Nyffryn Hafren, fel y gwnaeth mewn sawl man arall.

Bu ymosodiadau ar waith adeiladu'r wyrcws ym mis Mai 1838 a phrotest heddychlon gan rai cannoedd ger y safle ar ddydd Nadolig, ac roedd gwŷr meirch yr Iwmyn sirol wrth law, rhag ofn y byddai terfysg. Er gwaethaf yr ofn, nid agorwyd y wyrcws tan fis Mawrth 1840, fisoedd ar ôl y 'terfysg' yn Llanidloes.

Mudiad y Siartwyr

Ffactor bwysig yn y fro hon oedd y gefnogaeth yno i fudiad newydd y Siartwyr. Datblygodd o'r Working

Men's Association a sefydlwyd yn Llundain gan William Lovett, Henry Hetherington ac eraill yn 1836. Mewn cyfres o gyfarfodydd, penderfynwyd ar restr o chwech o ofynion gwleidyddol i'w rhoi gerbron y Senedd – gofynion a fyddai'n rhoi grym gwleidyddol i weithwyr cyffredin, yn hytrach na'r lleiafrif breintiedig a fuasai'n rheoli cyn hynny. Lluniwyd deiseb i'w chyflwyno i'r Senedd yn 1837, yn cynnwys y 'Chwe Phwynt'. Ym mis Mai 1838 cyhoeddwyd dogfen lawnach, sef 'Siarter y Bobl' ar ffurf drafft o ddeddf seneddol i'w rhoi gerbron y Senedd.

Chwe Phwynt Siarter y Bobl

1. Y bleidlais seneddol i bob dyn dros 21 oed
2. Etholaethau cyfartal o ran nifer yr etholwyr
3. Dileu'r angen i fod yn berchen ar eiddo er mwyn dod yn aelod seneddol
4. Etholiad cyffredinol a senedd newydd bob blwyddyn
5. Pleidlais gudd mewn etholiadau (y 'tugel')
6. Cyflogau i aelodau seneddol

Daethai dylanwad y mudiad newydd hwn i Faldwyn yn gynnar. Cafodd corff ar batrwm y mudiad o Lundain ei sefydlu yn y fro ym mis Ebrill 1837. Daeth tyrfa o tua 600 ynghyd yn Llanidloes ym mis Tachwedd y flwyddyn honno i wrando ar Henry Hetherington, un o'r arweinwyr, yn annerch y dorf. Pwysleisiai farn sylfaenwyr y mudiad mai trwy ymresymu aeddfed ac ymgyrchu heddychlon y byddai'r mudiad yn llwyddo, ac roedd yn annog ei gynulleidfa i osgoi terfysg a thrais.

Terfysg ar y Gorwel

Ym mis Hydref 1838 daeth rhai miloedd o bobl ynghyd yn y Drenewydd i gefnogi 'Siarter y Bobl'. Etholwyd gŵr o Faldwyn, Charles Jones, yn gynrychiolydd i Gonfensiwn Cenedlaethol y Siartwyr yn Llundain.

Arweinwyr Siartwyr Llanidloes erbyn 1839 oedd Thomas Powell, gwerthwr nwyddau haearn lleol, Richard Reynolds, cyfrwywr a D. Jenkin Hughes, argraffydd. Yn y gwanwyn gwnaed cais gan Siartwyr Maldwyn ar i'r Confensiwn anfon 'cenhadwr' i ledaenu neges y mudiad. Dychwelodd Henry Hetherington ar daith drwy'r fro, a bu'n annerch cyfarfodydd yn y Drenewydd, Llanidloes, Rhaeadr Gwy a'r Trallwng.

Daeth tyrfa o gryn 2,000 i wrando arno yn y Drenewydd ar 9 Ebrill, a thua 600 wedyn yn Llanidloes. Unwaith eto, dadlau yn erbyn trais a wnâi, ond roedd rhai yn y dorf eisoes yn arfog.

Erbyn hynny, roedd y mudiad canolog yn rhanedig, a'r agendor yn tyfu rhwng y rhai a oedd yn ymwrthod â thrais yn llwyr a'r rhai a oedd yn dadlau bod bygwth trais yn fwy tebygol o wneud argraff ar y llywodraeth yn hytrach nag agwedd hollol heddychlon. Cyfeirir at y ddau safbwynt cyferbyniol yn aml fel 'Grym Moesol' a 'Grym Corfforol'.

Mae'n ymddangos bod un o ynadon Llanidloes, Thomas Edmund Marsh, a oedd hefyd yn gyn-faer y dref, yn awyddus i drechu'r Siartwyr cyn i'r mudiad fynd yn rhy bwerus. Wedi iddo ysgrifennu dau lythyr at yr Ysgrifennydd Cartref yn haeru bod perygl o wrthryfel, cafodd air y byddai swyddogion o Heddlu Llundain yn dod i Lanidloes. Roedd Marsh i fod i recriwtio cwnstabliaid arbennig i helpu'r plismyn gadw trefn, ac erbyn diwedd Ebrill roedd ganddo garfan o 300 o gwnstabliaid yn barod i'w galw petai angen.

Terfysg Gwesty Trewythen

Cyfarfu Siartwyr Llanidloes a'u cefnogwyr yn Hen Neuadd y Farchnad yn y dref ar 29 Ebrill i drafod y bygythiad cynyddol oddi wrth yr awdurdodau. Drannoeth, daeth y newydd fod tri aelod o Heddlu Llundain wedi cyrraedd gyda chwnstabliaid eraill o Faldwyn. Yn fuan wedyn, aeth si ar led eu bod wedi arestio tri o'r Siartwyr a'u bod yn eu cadw'n gaeth

Y plac ar westy'r Trewythen Arms, yn nodi safle'r terfysg.

yng ngwesty'r Trewythen Arms, lle roedd y plismyn eu hunain yn lletya. Bu gŵr lleol yn canu corn o flaen y dorf i'w cynhyrfu.

Yna casglodd llu o bobl ger pont Llanidloes, a phenderfynwyd ceisio rhyddhau'r tri charcharor. Ymddangosodd tyrfa groch o flaen y gwesty, ac yna clywyd sŵn gwydr yn torri a bloedd 'Hurrah for the Chartists! The people for ever!' Ond pwy a wnaethai hyn? Neb llai na Thomas Marsh, y cyn-faer a'r ynad heddwch selog!

Yr esboniad mwyaf tebygol dros ymddygiad mor rhyfedd yw fod Marsh eisiau annog trais gan y dyrfa er mwyn cyfiawnhau galw milwyr, a rhoi'r dref o dan rym caethiwus yr awdurdodau.

Torrodd y dyrfa i mewn i'r gwesty a gwnaed difrod yno, er i bennaeth y milwyr ddweud wedyn ei fod ef ei hun wedi creu mwy o ddifrod yn ei ddiod. Maluriwyd y poteli gwin a'r casgenni cwrw, ac aethpwyd ati i chwilio am y plismyn yno a'u curo'n bur filain.

Pum Diwrnod o Ryddid?

Rhwng 30 Ebrill a 4 Mai, nid oedd unrhyw awdurdod swyddogol yn y dref, a chredir mai'r Siartwyr eu hunain oedd yn rheoli hyd nes y cyrhaeddodd y fyddin ymhen pum diwrnod. Dyma sail y 'Pum Diwrnod o Ryddid' a ddethlir yn sioe gerdd enwog Cwmni Ieuenctid Maldwyn, sef ysbaid fer pan oedd pobl gyffredin y dref yn rheoli eu cymuned eu hunain, heb na meistri na boneddigion.

Bu'r Siartwyr yn goruchwylio'r strydoedd i gadw trefn ddydd a nos, ac mewn cyfarfod yn y dref llwyddwyd i atal y dorf rhag mynd i Gaersŵs i ddymchwel y wyrcws anorffenedig.

Cynhyrchiad Cwmni Ieuenctid Maldwyn o'r sioe gerdd enwog *Pum Diwrnod o Ryddid*. Llwyfannwyd y sioe gyntaf yn Eisteddfod Genedlaethol yr Urdd yn y Drenewydd yn 1988, ac mae'n cyfleu – mewn cân a drama – ddigwyddiadau cyffrous 1839 yn Llanidloes.

Aelodau o gast y sioe gerdd *Pum Diwrnod o Ryddid.*

Cyrhaeddodd y milwyr ar 4 Mai, sef gwŷr traed o Aberhonddu a'r lwmyn sirol o'r Trallwng. Aeth yr awdurdodau ati yn ddi-oed i geisio dal arweinwyr y terfysg yng ngwesty'r Trewythen a hoelion wyth y Siartwyr yn y fro.

Dial gan y Drefn

Mae'r dystiolaeth a gasglwyd yn awgrymu nad oedd Undeb Siartwyr Llanidloes yn rheoli terfysgwyr y Trewythen Arms. Dim ond un aelod o'r Undeb oedd yn bresennol yn y terfysg, sef Thomas Jerman. Serch hynny, carcharwyd Henry Hetherington a Thomas Powell, ac fe geisiwyd dal Charles Jones, ond llwyddodd i ddianc. Llwyddodd Thomas Jerman i ddianc i America. Cafwyd y penyd trymaf ar lanc 19 oed a gyflawnodd drais yn ystod y terfysg: 15 mlynedd o alltudiaeth yn Awstralia i James Morris am drywanu. Rhoddwyd saith mlynedd o alltudiaeth i dri o'r Siartwyr am gynhyrfu protestwyr cyn y terfysg, a dedfrydwyd 34 o bobl eraill, gan gynnwys tair merch, i gyfnodau llai o garchar.

Er na fu terfysg arall, parhaodd mudiad y Siartwyr ar waith yn y fro am oddeutu ugain mlynedd, bron, ond roeddent yn gweithio'n heddychlon i geisio sicrhau diwygiadau gwleidyddol. Daeth ardal Maldwyn yn gadarnle gwleidyddol i'r Blaid Ryddfrydol am dros ganrif, ac roedd parch at hen wreiddiau radicaliaeth yn y sir.

Yn 1988 daeth y bennod gynhyrfus hon yn eu hanes i'r wyneb drachefn pan lwyfannwyd y sioe gerdd hynod lwyddiannus. Ac wrth wrando'r ymdeithgan orfoleddus, 'Rhyddid sydd yn dod', fe geir eto beth o ias a chyffro tanbaid y dyddiau pell hynny.

By Her Majesty's Command,

£100 REWARD.

WHEREAS LEWIS HUMPHREYS, late of Llanidloes, Shoemaker, and THOMAS JERMAN, of the same place, Carpenter, were apprehended at Llanidloes on the 30th of April last, on a charge of Felony, and rescued by a Mob, and have since absconded;

THIS IS TO GIVE NOTICE,

That the above Reward of

One Hundred

POUNDS

will be paid to any Person who will reapprehend, or give such information as will lead to the re-apprehension, of the above-mentioned Persons; and that

FIFTY POUNDS

will be paid to any one who will reapprehend, or give such information as will lead to the reapprehension, of either of the said two Persons.

The said LEWIS HUMPHREYS (called *Jehu*) is a Shoemaker, about 30 years of age, 5 feet 10 inches high, of dark forbidding countenance, muscular, high cheek bones and shoulders, has dark hair, black whiskers, and probably weares a blue coat, striped trowsers, and cap.

The said THOMAS JERMAN is a Carpenter, aged about 30, stands about 5 feet 8 inches high, stoutly made, has broad round shoulders and short thick neck, a round wide face, small eyes, and wide mouth; when last seen, had on a blue or brown coat, light-yellow cotton waistcoat with a sprig pattern upon it, white trowsers with stripes on it, and light-striped cotton neckerchief. The fingers of his right hand are slightly contracted, and the third and fourth fingers of his left hand are much contracted.—*Both are natives of Llanidloes.*

The Reward above mentioned will be paid by the MAYOR OF LLANIDLOES, who is authorized by Her Majesty's SECRETARY OF STATE to offer the same.

Poster yn cynnig gwobr am helpu i ddal dau o brotestwyr Llanidloes a oedd wedi llwyddo i ddianc wedi'r terfysg, sef Lewis Humphreys a Thomas Jerman. Llwyddodd Thomas Jerman ddianc i'r Unol Daleithiau.

Thomas Jerman a'i deulu yn America. Buont yn byw yn Efrog Newydd am rai blynyddoedd. Saer coed oedd Thomas wrth ei grefft, un o deulu o grefftwyr yn nhref Llanidloes.

TERFYSG CASNEWYDD 1839

Darluniad o'r cyfnod yn dangos y gwrthdaro yn Commercial Street o flaen gwesty'r Westgate, Casnewydd, ar fore 4 Tachwedd 1839. Fe welir pobl y dref yn gwasgaru wrth i'r tanio ddechrau, gyda mwy a mwy o brotestwyr yn heidio i lawr Stow Hill ar y dde. O'r ffenestri crwm ar ochr chwith y gwesty, ac ar y llawr isaf, y taniodd y milwyr i ganol y dorf.

Bri ac Anfri

Terfysg Casnewydd, mae'n debyg, yw terfysg gwleidyddol enwocaf Cymru. Cafodd sylw mawr yn y wasg ar y pryd, a bu arweinwyr y farn gyhoeddus yng Nghymru yn pryderu ynglŷn â'i effaith ar enw da'r genedl am ddegawdau.

Ond heddiw, fe gofir y terfysg fel rhan o frwydr fawr pobl gyffredin dros gyfiawnder a hawliau dinesig cyflawn mewn cymdeithas lle roedd bwlch enfawr rhwng y cefnog a'r tlawd.

Roedd yn derfysg ar raddfa fawr, ac yn fwy fyth o ran ei fwriad. Mae'n bosibl fod tua 5,000 o bobl yn y dyrfa a orymdeithiodd i Gasnewydd, rhai ohonynt yn cario gynnau a nifer â phicellau. Taniodd milwyr at y dorf a lladdwyd dros ugain o bobl. Carcharwyd llawer yn sgil y terfysg, a chafwyd y tri arweinydd yn euog o deyrnfradwriaeth a'u dedfrydu i farwolaeth. Serch hynny, ni chrogwyd neb yn y diwedd.

John Frost, arweinydd Siartwyr Casnewydd, ar ôl y terfysg yn 1839. Buasai'n ynad heddwch ac yn Faer Casnewydd yn ystod 1836–37. Tynnwyd y llun pan oedd yn ei gell yn aros ei brawf am deyrnfradwriaeth.

Fel yn achos Llanidloes, hyrwyddo amcanion mudiad y Siartwyr oedd pwrpas y cyrch hwn, ond bu'r digwyddiadau yng Nghasnewydd ar fore o Dachwedd yn 1839 yn ergyd farwol i adain fwy eithafol y mudiad. Arweiniodd cadwyn o ddigwyddiadau at y terfysg o flaen gwesty'r Westgate.

Rhwygiadau yn y Mudiad

Nodwyd eisoes fod dwy garfan amlwg yn perthyn i fudiad y Siartwyr erbyn 1838–39, sef y garfan a gefnogai strategaeth ddi-drais (Grym Moesol) a'r garfan a fynnai mai grym arfog yn unig (Grym Corfforol) a allai siglo cyfundrefn na fynnai ddiwygiad.

Roedd un o arweinwyr mudiad y Siartwyr, John Frost, yn frodor o Gasnewydd ac yn un o wŷr amlycaf y dref. Roedd ganddo fusnes llewyrchus yn gwneud dillad a theilwra ar un adeg, ond bu'n weithgar mewn gwleidyddiaeth hefyd. Erbyn 1838, roedd mudiad y Siartwyr wedi mynd â'i fryd. Cawsai cangen o Gymdeithas y Gweithwyr ei sefydlu yng Nghasnewydd eisoes, a dechreuodd John Frost weithio drosti yn ystod yr hydref hwnnw.

Y Siartwyr yn Ne Cymru

Dechreuodd mudiad y Siartwyr genhadu eisoes yng nghymoedd diwydiannol de Cymru. Roedd tlodi enbyd ac anghyfiawnder cymdeithasol yn rhemp yn y cymunedau hyn, a dyfai heb na chynllun na threfniadaeth drefol taniwyd tymer pobl gyffredin.

Yna, ym mis Mai 1839 arestiwyd Henry Vincent, a fu'n cenhadu dros y mudiad yng nghymoedd Gwent, ynghyd â William Edwards a rhai Siartwyr eraill, a bu cyfarfodydd protest swnllyd yng Nghasnewydd. Ymbiliodd Frost ar y dyrfa i beidio â cheisio difrodi'r carchar i'w rhyddhau, ond roedd yr awdurdodau'n galw am gwnstabliaid a milwyr i rwystro cyrch a chythruddwyd y gweithwyr. Yn ddiweddarach anfonwyd Vincent ac Edwards i garchar Trefynwy am eu rhan yn y gwrthdaro.

Berw yn y Cymoedd

Lledodd anniddigrwydd drwy'r wlad, ym mis Gorffennaf bu terfysgoedd yn Birmingham ond fe'u trechwyd gan y fyddin. Credai llawer o Siartwyr bellach fod rhaid iddynt fod yn barod i'w hamddiffyn eu hunain rhag cyrch arfog ar ran yr awdurdodau. Roedd neges y Siartwyr ar gerdded. Yn Llundain, cawsai Siarter y Bobl – ar ffurf deiseb â miliwn a hanner o enwau arni – ei chyflwyno i'r Senedd, ond gwrthododd yr aelodau seneddol ei thrafod hyd yn oed. Cynyddodd dwyster y teimlad yng Nghymru ar yr un pryd.

Bu gwrthod y Siarter yn ergyd drom i'r garfan 'Grym Moesol', a chynyddodd y pwyso am weithredu uniongyrchol. Daeth cynnig gan Gonfensiwn y Siartwyr i gynnal streic genedlaethol, ond roedd nifer o'r areithiau a gafwyd yn ralïau'r Siartwyr yn sôn am 'fyddin o weithwyr' a 'dymchwel yr hen drefn'. Cafwyd cwynion gan ynadon fod arfau'n cael eu casglu a'u cronni yn y cymoedd.

Erbyn yr hydref roedd disgwyl mawr i rywbeth ddigwydd yng Ngwent. Soniwyd am orymdaith brotest i fynnu rhyddhau'r carcharorion, Henry Vincent ac eraill. Credai rhai y byddai cyrch llwyddiannus yn ne Cymru'n sbardun i wrthryfeloedd yng ngogledd a chanolbarth Lloegr a'r Alban.

Bu cyfarfod mawr o gynrychiolwyr cymdeithasau'r Siartwyr yn nhafarn y Coach and Horses yn y Coed-duon ar 1 Tachwedd. Penderfynwyd bwrw ymlaen â'r gwrthryfel, ar sail amcangyfrif y byddai tua 5,000 o wŷr arfog yn eu dilyn ar y noson dyngedfennol.

Diwrnod y Terfysg

Trefnwyd yr orymdaith arfog i gipio Casnewydd i ddigwydd dros nos ar 3-4 Tachwedd 1839. Cychwynnodd tair carfan, ond dwy yn unig a gyrhaeddodd Gasnewydd. Cychwynnodd mintai Frost o'r Coed-duon ar fore Sul a'r ail fintai o dan arweiniad Zephaniah Williams, tafarnwr y Royal Oak ym Mlaenau Gwent, o Nant-y-glo. Oedodd William Jones, gwneuthurwr watsys o Bont-y-pŵl, tan fore Llun cyn gadael i'w fintai gychwyn o'r dref. Cafodd y

Zephaniah Williams, arweinydd mintai'r Siartwyr o Flaenau'r Cymoedd. Tynnwyd y llun hwn ohono yn y doc pan oedd ar ei brawf yn Nhrefynwy. Yn dilyn ei ryddhau o gaethiwed yn Tasmania, daeth yn ddyn busnes llwyddiannus yno, a bu farw yn ŵr cefnog yn 1874.

Hugh Williams, cyfreithiwr o Gaerfyrddin a fu'n amddiffyn tri arweinydd Siartwyr Casnewydd yn y llys. Roedd yn Siartydd brwd ei hunan ac yn gefnogwr i fudiad Beca hefyd.

ddwy fintai gyntaf daith ddiflas trwy wynt a glaw yn nhywyllwch noson stormus, cyn ad-drefnu ym Mharc Tredegar i gwblhau'r daith, a gwŷr y gynnau ar y blaen. Wrth iddynt gyrraedd canol y dref, gofynnodd Frost ble roedd y milwyr, a dywedodd llanc ifanc wrtho fod tua dwsin ohonynt yng ngwesty'r Westgate.

Yng Nghasnewydd ymgasglodd Thomas Phillips, y maer, a'r ynadon yn y Westgate gyda 32 o filwyr arfog a 60 o blismyn. Clywyd sibrydion yn ystod y dydd Sul fod cyrch ar droed, a chredai Frost am weddill ei oes fod ysbïwyr wedi bradychu'r Siartwyr. Serch hynny, Frost ei hun a wnaeth y penderfyniad i beidio â meddiannu'r dref nes yr oedd yn lliw dydd golau, a chollwyd unrhyw gyfle i daro'n ddisymwth. Daeth y fintai i lawr Stow Hill a redai wrth ochr y gwesty. Yna, yn Commercial Street, trodd y dyrfa i wynebu'r gwesty. Clywyd Frost yn galw arnynt i droi fel bod pawb, yn bobl gyffredin ac yn filwyr, yn gallu eu gweld. Safodd y fintai o 5,000 o flaen y gwesty, a galwodd sawl un am i'r awdurdodau ryddhau eu carcharorion.

Roedd y milwyr y tu mewn i un o ystafelloedd y gwesty, ystafell â ffenest grom iddi. Cawsai cloriau mewnol y ffenestri eu cau, ond roedd drws ffrynt y gwesty'n agored, a'r cwnstabliaid yno. Daeth y dyrfa'n nes at ddrws y Westgate, a cheisiodd un cwnstabl gipio ffon yr oedd protestiwr yn ei chwifio o dan ei drwyn. Yna rhuthrodd y dyrfa am y drws, a chiliodd y cwnstabliaid o'u blaenau. Taniwyd gynnau gan y dorf a chwalwyd y ffenestri. Yn yr ystafell lle roedd y milwyr, agorwyd cloriau'r ffenestri, ac anelodd y milwyr eu gynnau allan i'r awyr agored. Yno gyda'r milwyr yr oedd y maer, Thomas Phillips, ac fe'i hanafwyd yn ei glun gan un o fwledi'r terfysgwyr. Ar yr un pryd, roedd rhai o'r fintai yn ymwthio i'r gwesty drwy ddau ddrws, a rhoddwyd gorchymyn i'r milwyr danio ar y dorf gan eu pennaeth, y Capten Gray. Gwasgarodd y dorf yn y stryd, ond parhaodd yr ymladd y tu mewn i'r gwesty. Lladdwyd pump o derfysgwyr ym mhrif goridor y gwesty, a phedwar yn y stryd y tu allan, ac fe anafwyd llawer mwy. Credir mai 24 a fu farw i gyd, y mwyafrif yn dihoeni o'u clwyfau wedi'r terfysg. Bu sôn ar y pryd i ddau filwr gael eu lladd, ond er i nifer o bobl yn y gwesty gael eu hanafu, ni laddwyd neb yno.

Trallod a Thraddodiad

Cafodd tua 60 o Siartwyr eu dal a'u herlyn yn dilyn terfysg Casnewydd. Cynhaliwyd llys 'Comisiwn Arbennig' yn Nhrefynwy gyda thri barnwr i gynnal yr achosion o deyrnfradwriaeth. Er y dedfrydau o farwolaeth, anfonwyd John Frost, William Jones a Zephaniah Williams i'w trawsgludo i Tasmania am oes. Cafwyd pardwn iddynt yn 1854, a dychwelodd Frost i Gymru yn 1856. Aros yn Tasmania a wnaeth y ddau arall hyd nes eu marwolaeth. Bu John Frost fyw tan 1877, pan fu farw yn 93 oed.

Ni ddarfu mudiad y Siartwyr, ac aethpwyd ati i drefnu dwy ddeiseb fawr arall. Ond roedd newid ar droed ac erbyn 1918 roedd pump o chwe phwynt y Siarter wedi eu gwireddu erbyn 1918. Ni feiddiai'r Siartwyr ofyn am bleidlais i ferched yn 1839, ond yn nes ymlaen fe'i cafwyd wedi ymgyrchu dygn 'Merched y Bleidlais', a hynny mewn dau gam yn 1918 ac 1928.

Ganrif ar ôl y terfysg, yn 1939 dadorchuddiwyd cofeb yn nodi'r digwyddiad yng Nghasnewydd. Yn 1991 codwyd cyfres o gerfluniau modern o waith Christopher Kelly yn darlunio dyheadau gwleidyddol mudiad y Siartwyr, ac maent i'w gweld yn union o flaen gwesty'r Westgate yn Sgwâr John Frost – ie, sylwch, Sgwâr John Frost!

'Newid ddaeth o rod i rod . . .'

Dengys y llun o rali fawr y Siartwyr ar gomin Kennington, Llundain, ar Ebrill 10 1848, faint o gefnogaeth oedd i Siartiaeth a ofynnai am fwy o hawliau i'r dyn cyffredin. Ar drol yn y canol, mae Feargus O'Connor, un o brif arweinyddion mudiad y Siartwyr yn Lloegr. Cynhaliwyd y rali er mwyn cefnogi cyflwyno deiseb fawr i'r Senedd o blaid Siarter y Bobl i Dŷ'r Cyffredin am y trydydd tro. Trefnwyd fod miloedd o gwnstabliaid a milwyr wrth law rhag ofn y digwyddai ffrwgwd, ond bu'r rali'n un heddychlon. Gwrthodwyd y ddeiseb unwaith eto, ac erbyn 1850 roedd mudiad y Siartwyr ar drai.

TERFYSG BECA

Darlun cyfoes o'r *Illustrated London News* yn dangos Beca a'i dilynwyr yn malurio clwyd tollborth. Roedd y cyfnodolyn hwn yn hynod boblogaidd yn oes Fictoria, cafodd terfysgoedd Beca sylw mawr ledled Prydain.

Yr Efail-wen

Ar noson o Fai yn 1839 roedd hi'n dawel wrth y dollborth ar gyrion yr Efail-wen, pentref yng nghanol cefn gwlad Sir Benfro. Ond yna, daeth sŵn bloeddio a chrensian traed yn nesáu o'r pellter. Edrychodd Benjamin Bullin, ceidwad y tollborth, allan i'r nos o ddrws ei fwthyn bychan wrth ymyl y glwyd. Roedd y giât bren ar draws y ffordd wedi ei chau. A fyddai'r 'adar y nos' hyn eisiau mynd trwyddi, tybed? Cynyddodd y sŵn, a daeth tyrfa fawr o bobl i'r golwg yn hwtian, yn chwythu cyrn ac yn curo sosbenni. Mwy brawychus oedd y ffaith eu bod i gyd wedi eu gwisgo mewn dillad merched ac wedi pardduo'u hwynebau. Ar y blaen roedd cawr o ddyn, eto mewn gwisg merch, yn annog y dyrfa yn ei blaen oddi ar gefn ei geffyl. Yn sydyn, dyma'r dorf swnllyd yn dechrau ymosod ar y glwyd â bwyeill a morthwylion.

Ffodd Benjamin a'i deulu nerth eu traed o'r fan. Yn wir, trodd y dorf ei sylw at fwthyn y tollborth, a chyn hir roedd hwnnw hefyd wedi ei chwalu â morthwylion ac wedi ei losgi.

Dyna ddechrau un o'r ymgyrchoedd protest rhyfeddaf yn hanes Cymru – ac un o'r rhai mwyaf llwyddiannus hefyd. Dyma ddechrau Terfysg Beca.

Mudiad protest oedd Beca, yn bennaf yn erbyn y cynnydd mewn tollbyrth a lefel y tollau ar y ffyrdd yng ngorllewin Cymru. Y brotest gyntaf oedd honno yn yr Efail-wen ym mis Mai, a bu cyrchoedd pellach ym Mehefin a Gorffennaf, gan falurio'r un glwyd bob tro. Bu'r protestiadau cyntaf yn llwyddiant, oherwydd yn niwedd Gorffennaf cyfarfu ymddiriedolwyr Cwmni Tyrpeg Hendy-gwyn ar Daf, a phenderfynu peidio ag ailgodi'r glwyd.

Arweinydd y fintai a fu ar waith yn yr Efail-wen oedd Thomas Rees, tyddynnwr, labrwr a phaffiwr o gryn fri. Gelwid ef yn 'Twm Carnabwth'. Gŵr 33 oed oedd Twm; bu fyw i fod 70 oed, ond ni fu'n arwain nag yn cymryd rhan yn un o derfysgoedd Beca yn dilyn cyrch yr Efail-wen.

Cefndir y Terfysg

Roedd mudiad Beca'n rhan o don gref o anfodlonrwydd cymdeithasol yn y cyfnod o tua 1830–50. Dirwasgiad economaidd oedd un o nodweddion pwysicaf y cyfnod hwn, ac roedd yn gyffredinol trwy wledydd Prydain. Bu ymateb yr awdurdodau i'r tlodi'n grintachlyd, a dweud y lleiaf, yn wir, yn yr un cyfnod y digwyddodd y Newyn Mawr yn Iwerddon. Mabwysiadwyd trefn ddidostur y wyrcws, a wnaeth fywyd y tlodion drwy Gymru a Lloegr yn llawer gwaeth nag y bu ers canrif. Bu tri wyrcws, yng Nghaerfyrddin, Arberth a Chastellnewydd Emlyn, yn destunau protest gan Beca.

Daeth y tollbyrth yn bwnc llosg chwyrn yn y cyfnod. Yng ngorllewin Cymru roedd cyflwr y ffyrdd yn wael, a phenderfynodd nifer o'r plwyfi, a oedd â'r cyfrifoldeb cyfreithiol dros y ffyrdd, gydweithredu. Ffurfiwyd ymddiriedolaethau neu gwmnïau tyrpeg, a chymerwyd y gwaith o gynnal y ffyrdd oddi ar y plwyfi unigol. Bwriad y cwmnïau oedd benthyg arian, yr hyn na fedrai'r plwyfi ei wneud, i wella'r ffyrdd a chodi tollau ar ddefnyddwyr i ad-dalu'r ddyled. Sylweddolodd rhai cwmnïau nad oedd digon o incwm o'r tollbyrth i gwrdd â'u costau. Dechreuwyd rhoi'r gwaith o hel tollau i gasglwyr proffesiynol, pobl heb ymrwymiad i wella'r ffyrdd. Roedd Thomas Bullin a'i gwmni wedi tendro am yr hawl i godi tollau ar ran sawl cwmni, gan gynnwys cwmni'r Hendy-gwyn, oedd wedi codi tollborth yr Efail-wen. Brawd Thomas Bullin oedd ceidwad y tyrpeg yno, sef y Benjamin a ffodd rhag dicter Beca ynghynt.

Wedi talu pris da i'r cwmni tyrpeg, defnyddiai Thomas Bullin a'i debyg sawl dull o gynyddu incwm o'r tollbyrth. Codent fwy o glwydi a bariau ar y ffyrdd er mwyn 'dal' mwy o deithwyr, yn ogystal â thollau ychwanegol ar lwythi o galch, a oedd yn hanfodol i ffermwyr wrteithio'u tir.

Tacteg arall ddefnyddiwyd oedd codi mwy o dollbyrth o gwmpas y trefi, lle byddai'r ffermwyr yn mynd i werthu eu cynnyrch yn y farchnad.

Dull a Defod Beca

Roedd yn hen arfer yng Nghymru a Lloegr, mewn protestiadau gan y werin, i ddynion wisgo dillad merched a phardduo'u hwynebau er mwyn rhwystro eraill rhag eu hadnabod. Byddai 'ffug brawf' liw nos yn codi braw ar y 'troseddwyr' a phawb arall oedd yn ystyried tramgwyddo'n erbyn barn y gymuned.

Y Prif Derfysgoedd

Nid un 'Terfysg Beca' a fu, ond amryw. Bu cyfres o ymgyrchoedd yn ystod y cyfnod 1839–44 ar draws pedair sir: Ceredigion, Caerfyrddin, Penfro a Morgannwg. Dinistriwyd dwsinau o glwydi oedd yn perthyn i sawl cwmni tyrpeg yn ardaloedd Sanclêr, Hwlffordd, Abergwaun, Castellnewydd Emlyn, Aberystwyth, Cydweli a Dyffryn Tywi.

Mae'r cartŵn o'r cylchgrawn dychanol *Punch* nid yn unig yn darlunio terfysg Beca, ond mae'n cyfeirio at y pynciau cyfoes a fu'n destunau llosg ac a barodd bryder i wleidyddion fel Syr Robert Peel a'r Arglwydd John Russell. Byddai'r ddelwedd o Beca yn malurio clwyd yn ddealladwy i bawb o ddarllenwyr *Punch* oherwydd y gyfeiriadaeth Feiblaidd.

Carmarthenshire Turnpike Roads.
Abermarlais Gates
Clear Carregsawdde, Ffairfach, Ffynonsaer, Gurreyfach, Llanfair-arybryn, Llwyn-jack Ford, New Inn, Suspension Bridge, and Walk gates & bars all ga'es and Bars in this county within 7 miles and in the adjoining counties within 2 miles, measured along turnpike roads only.
187 s. d.
Horse Carriage
Ass Cart
Cattle
Calves
Sheep
Swine
Spurrell, Printer, Carmarthen.

Carmarthenshire Turnpike Roads.
Aberarad Gate
Clears Cenarth and Twelly Bridge gates & bars; and all gates & bars in this county within 7 miles, and in the adjoining counties within 2 miles, measured along turnpike roads only.
187 s. d.
Horse Carrriage
Ass Cart
Cattle
Calves
Sheep
Swine
W. Spurrell, Printer, Carmarthen.

Cardiganshire Turnpike Roads.
ABERYSTWYTH NORTH GATES
Clear Aberystwyth South gates & bars; and all gates & bars in this county within 7 miles, and in the adjoining counties within 2 miles, measured along turnpike roads only.
187 s. d.
Horse Carriage
Ass
Cattle
Calves
Sheep
Swine
W. Spurrell, Printer, Carmarthen.

Dengys y llun hwn gasgliad o 'docynnau clirio' tollbyrth o'r hen Sir Aberteifi. Wedi diwygio trefn y tollbyrth yn 1844, rhoddid tocynnau fel hyn i bawb a oedd wedi talu toll. Roedd yn dangos y caent fynd trwy unrhyw glwyd arall am saith milltir o fewn y sir – heb orfod talu eto – neu ddwy filltir yn y sir nesaf.

Bu terfysg o fath gwahanol yng Nghaerfyrddin ym Mehefin 1843. Gorymdeithiodd llu o bobl i'r dref – rhai miloedd, yn ôl adroddiadau'r wasg – gyda band cerddorol yn eu harwain, a Beca ar gefn ceffyl gwyn yn ben ar y cyfan. Roedd Beca mewn gwisg merch, â gwallt cyrliog hir, ac roedd llawer o'r protestwyr eraill ar gefn ceffylau. Ffermwyr lleol oedd y rhain, ac roeddent wedi rhestru nifer o gŵynion am y tollbyrth a'r wyrcws. Wrth i'r fintai nesáu at Gaerfyrddin, ymunodd mwy a mwy o dlodion yr ardal, yn 'wŷr traed' i Beca. Yn y cyfamser, roedd maer y dref yn aros am gymorth milwyr – y Dragŵns – a oedd eisoes ar eu ffordd o Gaerdydd. Roedd dyrnaid o'r milisia lleol a chwnstabliaid arbennig yno'n barod o flaen Neuadd y Dref, o dan arweiniad y maer. Wrth i'r milwyr fynd drwy'r dref, tyrrodd llu o brotestwyr at y wyrcws ac ymosod arno. Rhuthrodd y maer a'i fintai yno, ond roedd y protestwyr eisoes wedi dringo dros y waliau. Darllenodd y maer y Ddeddf Derfysg. Roedd y protestwyr wrthi'n malu'r dodrefn a'r parwydydd pan gyrhaeddodd y Dragŵns. Gwasgarodd y dyrfa wrth i'r milwyr a'u meirch ruthro a'u cleddyfau'n fflachio, ond fe ddaliwyd tua chant o brotestwyr ym muarth y wyrcws.

Bu nifer o gyfarfodydd cyhoeddus gan gefnogwyr Beca i fynegi eu cwynion. Yr enwocaf oedd y cyfarfod hwn ar Fynydd Sylen, rhwng Llan-non a Phontyberem, ar 25 Awst 1843. Roedd tua 4,000 o bobl yn bresennol, ac er gwaethaf y galw am ddefnyddio dulliau heddychlon a chyfreithlon, pwysleisiwyd bod cwynion y bobl yn rhai dilys gan y cyfreithiwr Hugh Williams a siaradwyr eraill. Cyhoeddwyd y llun hwn gan W. J. Linton yn yr *Illustrated London News*.

Aeth y protestio'n fwy treisgar yn ystod teyrnasiad Beca, ac roedd defnyddio gynnau'n gyffredin erbyn haf 1843. Yn Awst a Medi'r flwyddyn honno bu dau gyrch neilltuol yn achos braw. Yn hwyr nos Fawrth, 22 Awst, daeth tyrfa o tua 500 o bobl yng ngwisgoedd Beca at blasty Gelliwernen, ger Llan-non, a gynnau a fflachiadau powdr du yn fflamio. Cartref John Edwards, stiward a chasglwr degwm ar gyfer sgweier ystad Llan-non oedd hwn. Saethwyd llu o ergydion at lofftydd y tŷ, gan falu pump o ffenestri. Roedd John Edwards yn ei wely'n glaf, ond bu ei wraig a'i ferch yn ceisio siarad â'r protestwyr, ac yn y diwedd aeth y fintai oddi yno, a difrodi tŷ ciper yr ystad gerllaw.

Cafwyd yr helynt mwyaf difrifol yn nhollborth Hendy, Pontarddulais, ar 9 Medi. Ymosododd tyrfa arno a llusgo dodrefn y ceidwad, Sarah Williams, a oedd yn 75 oed, o'r bwthyn cyn eu rhoi ar dân. Ceisiodd hithau gymorth gan gymdogion i ddiffodd y tân ac achub ei dodrefn, ond fe'i saethwyd, a bu farw o fewn munudau.

Ar ôl hyn, fe drodd y farn gyhoeddus fwyfwy yn erbyn gweithredu fel hyn, ond roedd gafael Beca'n ddigon cryf i sicrhau bod y cwest lleol i farwolaeth Sarah Williams yn datgan iddi farw o 'achos anhysbys'.

Dair noson cyn y lladd yn yr Hendy, cawsai tri o derfysgwyr Beca eu dal mewn cyrch ar glwyd ym Mhontarddulais, dau ohonynt wedi eu hanafu gan fwledi'r heddlu. Cynhaliwyd eu hachos llys yng Nghaerdydd, a dedfrydwyd John Hughes, Tŷ Isa, Llan-non i ugain mlynedd o alltudiaeth, a John Hugh a David Jones i saith mlynedd yr un. Treuliodd John Hughes Tŷ Isa weddill ei oes yn Tasmania, a magodd deulu yno.

Cloriannu Beca

Yn ystod gaeaf 1843–44 bu ymchwiliad gan y llywodraeth i achosion y terfysg, a gwnaed argymhellion i wella pethau. Pasiwyd deddf seneddol yn 1844 yn cyfyngu ar hawl cwmnïau tyrpeg i hawlio tollau yn amlach na bob saith milltir, a rhoddwyd pob un o'r cwmnïau o dan awdurdod bwrdd – un ar gyfer pob sir – i arolygu eu gwaith.

O ran ymgyrch y tollbyrth felly, gellid barnu i Beca fod yn hynod lwyddiannus, ond parhaodd y wyrcws a'r degwm yn bynciau llosg am ddegawdau wedyn.

Ceir esiampl yma o'r difrod a wneid yn ystod terfysgoedd Beca. Dyma lun o dollborth a chlwyd Pontyberem yn dilyn cyrch gan Beca un noson ym Mehefin 1843. Dangosir y glwyd wedi ei malurio'n llwyr, a dim ond postyn a stwmp postyn arall sy'n aros, a'r bwthyn wedi ei chwalu'n rwbel yn arwydd pendant o'r ffaith y bu Beca a'u merched yno.

TERFYSG YR WYDDGRUG 1869

Llun cyfoes o'r olygfa ger gorsaf rheilffordd yr Wyddgrug ar 2 Mehefin 1869. Fe welir y dyrfa wrth y clawdd o flaen y stesion, a milwyr a phlismyn yn eu hwynebu. O'r ystafell ger y prif adeilad gwelir mwg y tanio gan y milwyr yn codi, a gwelir un o'r protestwyr gerllaw, wedi ei saethu.

Helynt yn y Lofa

Ym mis Mai 1869 roedd glowyr yng nglofa Leeswood Green yng Nghoed-llai, Sir y Fflint, yn anfodlon iawn eu byd. Ddechrau'r mis roedd rheolwr y gwaith, John Young, wedi eu hysbysu bod y cwmni yn gorfod gostwng pris glo oherwydd prinder archebion, ac y byddai cyflogau'r glowyr yn gostwng hefyd. Cyflogau isel a gâi'r rhan fwyaf o'r glowyr yno eisoes, a cheid anhawster mewn ambell ran o'r pwll oherwydd bod dŵr yn llifo drwy'r ffas. Roedd bywyd yn ddigon caled i'r glowyr fel ag yr oedd heb ennill llai o gyflog a dioddef mwy o berygl.

Fore Mercher, 19 Mai, aeth criw o tua 60 o'r glowyr at John Young er mwyn trafod eu cwynion am eu triniaeth, ac yntau ar ei ffordd o'r lofa i'w dŷ gerllaw. Digon amhoblogaidd ydoedd gyda'r rhan fwyaf o'r glowyr am ei fod yn rheolwr haearnaidd. Hanai o Swydd Durham, ac roedd ganddo flynyddoedd o brofiad yn y diwydiant glo. Yn wir, cawsai ei gyflogi'n rheolwr gan berchnogion glofa Leeswood Green yn 1863, a chynyddodd gynnyrch y lofa. Ond gwaharddodd y glowyr rhag siarad Cymraeg yn y gwaith, er ei bod yn iaith gyntaf i'r mwyafrif helaeth, a bod rhai ohonynt yn uniaith Gymraeg. Cyhuddwyd ef hefyd o ffafrio Saeson: daethai nifer o lowyr o Loegr i'r lofa ar draul gweithwyr o Gymru, a dengys llyfrau cyfrifon y gwaith fod eu cyflogau'n uwch o'r hanner na rhai'r Cymry.

Daeth penllanw i ddicter y glowyr y bore hwnnw o Fai, wrth i John Young wfftio'u dadleuon. Cafodd ei wthio a'i gam-drin nes iddo ddisgyn i'r llaid. Haerodd yntau yn yr achos llys yn ddiweddarach iddo gael ei daro â ffyn a cherrig, a'i wthio i un o'r wagenni gwaith. Aethpwyd ag ef at orsaf rheilffordd yr Hob lle roedd dau blismon yn disgwyl am y trên; trosglwyddwyd Young i'w gofal, ac anfonodd y plismyn ef i'r Wyddgrug.

Rai dyddiau wedi'r digwyddiad, aeth tyrfa o lowyr at dŷ Young yng Nghoed-llai a chymryd ei ddodrefn, eu llwytho ar gefn trol a'u cludo i'r orsaf. Roedd gwraig Young yn y tŷ ar y pryd, a gwnaeth Young gyhuddiad iddi hithau gael ei cham-drin yn y cyffro.

Gwnaeth John Young gŵyn am ei driniaeth wrth yr heddlu yn yr Wyddgrug. Yn fuan wedyn, aeth heddlu Sir y Fflint ati i geisio dal arweinwyr y terfysg. Cafodd wyth o ddynion eu harestio, a threfnwyd achos yn Llys Ynadon yr Wyddgrug ar 2 Mehefin.

Achos Llys a Thrychineb

Cynhaliwyd yr achos gerbron saith o ynadon lleol – pob un ohonynt yn dirfeddianwyr, ac eithrio'r rheithor. Yn wir, roedd un o'r ynadon yn fuddsoddwr pwysig yng nglofa Leeswood Green.

Dedfrydwyd dau o'r protestwyr – William Hughes ac Ishmael Jones – i fis o garchar yr un gyda llafur caled, a rhoddwyd dirwyon i'r chwech arall. Bu gweiddi a chynnwrf mawr yn y llys pan gyhoeddwyd y dedfrydau. Daeth tyrfa sylweddol o lowyr a chefnogwyr i'r Wyddgrug i wrando ar yr achos, ac fe'u cynddeiriogwyd gan y canlyniad. Gwrthododd y Fainc bob awgrym o annhegwch a ffafriaeth ar ran John Young tuag at y gweithwyr o Loegr, sef achos gwreiddiol yr helynt.

Gorsaf reilffordd yr Wyddgrug yn nechrau'r ugeinfed ganrif (fe welir bws modur yn y llun). Cawsai'r orsaf ei helaethu erbyn hynny, ond mae'n debyg mai'r fan lle saif y gŵr ar ei ben ei hun o dan y lamp oedd yr ystafell y bu'r milwyr yn tanio ohoni yn 1869 adeg y terfysg ddigwyddodd yn dilyn carchariad glowyr Leeswood Green.

Roedd Prif Gwnstabl Sir y Fflint, Peter Browne, wedi rhagweld y byddai gwrthdystio gan y glowyr pe câi'r diffynyddion eu carcharu, ac ymgais i'w rhyddhau o bosib. Trefnodd Browne i garfan o 50 o filwyr o Gaer gael eu hanfon i'r dref er mwyn hebrwng y carcharorion o'r llys i'r orsaf drenau, ac oddi yno i Gastell y Fflint, lle roedd y carchar agosaf.

Rhyw ddau gan llath o daith oedd hi o Neuadd y Dref – lle cynhaliwyd y llys – at orsaf rheilffordd yr Wyddgrug, ond ymgasglodd torf swnllyd a bygythiol o gwmpas yr osgordd o heddlu a milwyr a hebryngai'r ddau garcharor at y trên. Taflwyd cerrig at yr osgordd, ac anafwyd llawer. Safai llu o brotestwyr y tu ôl i glawdd o flaen yr orsaf, ac roedd eraill yn taflu pethau at y trên a oedd yn aros yn unswydd i'r osgordd gyrraedd o'r llys. Maluriwyd nifer o ffenestri adeiladau'r orsaf yn ogystal â rhai'r trên.

'Agor tân ar yr ymosodwyr . . .'

Galwodd y Prif Gwnstabl ar i'r milwyr danio'u gynnau at y dorf, ond gwrthododd eu pennaeth, y Capten Blake. Mynnai nad oedd hawl ganddo i wneud hynny heb i'r Ddeddf Derfysg gael ei darllen gan ynad heddwch. Un yn unig o'r ynadon a fu yn y llys a ddilynodd yr osgordd i'r orsaf at y trên, Mr Clough oedd enw hwnnw.

Rhuthrodd y Prif Gwnstabl ar y trên a gofyn i Mr Clough roi awdurdod i'r milwyr danio. Cytunodd yntau fod y sefyllfa'n un o derfysg difrifol, a rhoddwyd gorchymyn i'r milwyr danio at y dorf o'r orsaf reilffordd. Serch hynny, tystiodd newyddiadurwr o'r *Chester Chronicle*, a oedd hefyd ar y trên, iddo glywed yr ergydion cyntaf yn cael eu tanio cyn i Mr Clough roi ei ganiatâd. Cytunodd pawb a fu'n dystion na ddarllenwyd y Ddeddf Derfysg.

Lladdwyd pedwar o bobl ac anafwyd llawer mwy. Clwyfwyd un gŵr ifanc yn ei stumog, a bu farw'n fuan wedyn. Lladdwyd un glöwr yn y fan a'r lle â bwled i'w ben. Anafwyd gwraig un o'r protestwyr gan fwled yn ei chefn, a bu hithau farw rai dyddiau wedyn. Morwyn ifanc 19 oed oedd y pedwerydd a laddwyd; digwydd cerdded heibio ac aros i wylio'r cyffro a wnaethai Margaret Younghusband, ond fe'i saethwyd, a bu farw o fewn yr awr, o golli gwaed.

Ni wyddwn faint o bobl a anafwyd; ffodd nifer o'r fan rhag iddynt gael eu herlyn am derfysgaeth. Arestiwyd deg o bobl a'u rhoi ar brawf ym Mrawdlys Sir y Fflint yn yr Wyddgrug ym mis Awst ar gyhuddiadau o greu terfysg. Dedfrydwyd pump o'r deg i ddeng mlynedd o garchar, a dim ond un a gafwyd yn gwbl ddieuog.

Parhaodd yr anghydfod yng nglofa Coed-llai am fisoedd wedyn, ac un o effeithiau Terfysg yr Wyddgrug oedd troi gweithwyr maes glo gogledd Cymru fwyfwy i gyfeiriad undebaeth lafur, a fyddai'n arfer dulliau mwy ffurfiol a heddychlon o ddwyn pwysau ar gyflogwyr na'r protestio lleol traddodiadol. Cryfder arall undebaeth oedd fod corff canolog a changhennau eraill yr undeb yn gefn i'r gweithwyr lleol mewn anghydfod, rhywbeth na chafwyd yn achos y glowyr ym mhwll Leeswood Green yn 1869.

Stryd Fawr tref yr Wyddgrug heddiw yn brysur ond heddychlon â thŵr Eglwys y Santes Fair i'w weld yn y cefndir.

RHYFEL Y DEGWM 1886–1890

Thomas Gee (1815–1898), perchennog gwasg bwysig yn Ninbych ac un o arweinwyr Rhyddfrydiaeth a Methodistiaeth yng Nghymru oes Fictoria. Rhoddodd yr enw 'Degwm' ar y ceffyl a welir ganddo yn y llun hwn, a dynnwyd o flaen ei dŷ yn Stryd y Dyffryn, Dinbych.

Beth oedd y Degwm?

Yn yr oesoedd canol, câi offeiriad y plwyf ei gynnal gan drigolion y gymuned leol. Byddai pob ffermwr yn y plwyf yn cyfrannu 10% o'i gynnyrch amaethyddol i'r eglwys. Y cynnyrch mwyaf gwerthfawr oedd y cnydau grawn: gwenith, barlys a cheirch. Caent eu casglu – bob degfed ysgub yn wreiddiol – ar ôl y cynhaeaf a'u storio mewn ysgubor a oedd yn perthyn i'r eglwys; yr ysgubor ddegwm.

Erbyn y bedwaredd ganrif ar bymtheg, roedd y llywodraeth ym Mhrydain yn awyddus i foderneiddio'r drefn o dalu'r degwm. Pasiwyd deddf yn 1836 a'i gwnâi'n daliad ariannol yn hytrach na thaliad mewn cynnyrch.

Bu'r degwm yn un o gŵynion Merched Beca yn ystod yr 1840au yn ogystal. Roedd llawer o ffermwyr Cymru yn gwrthwynebu talu degwm i Eglwys Loegr, a hwythau'n addoli mewn capeli Anghydffurfiol.

Erbyn yr 1880au nid yn unig roedd cynnydd mawr yn nifer y Cymry a fynychai gapel yn hytrach nag eglwys, ond roedd y cyfnod hwn hefyd yn gyfnod o ddirwasgiad economaidd, a'r ffermwyr yn cael llai o arian am eu cynnyrch.

Dechrau'r Protestio

Dechreuodd y protestio yn Nyffryn Clwyd yn 1886, lle roedd mwyafrif y ffermwyr yn gapelwyr o ran eu crefydd ac yn Rhyddfrydwyr o ran eu gwleidyddiaeth. Un o brif drefi'r fro oedd Dinbych, lle câi un o bapurau newydd mwyaf dylanwadol Cymru ei gyhoeddi, *Baner ac Amserau Cymru*. Perchennog y papur oedd Thomas Gee, dyn busnes llwyddiannus a oedd yn amlwg iawn gydag enwad y Methodistiaid ac yn gefnogwr brwd i'r Blaid Ryddfrydol. Rhoddai'r *Faner* sylw mawr i faterion crefyddol, a daeth 'annhegwch' y degwm i ffermwyr Anghydffurfiol yn bwnc trafod rheolaidd ar ei dudalennau. Bu'n gyfrwng i atgyfnerthu gwrthwynebiad cyhoeddus y ffermwyr.

Cafwyd y brotest dorfol gyntaf yn Llanarmon-yn-Iâl, heb fod ymhell o Ruthun, ym mis Awst 1886. Gosododd hon y patrwm ar gyfer yr holl brotestiadau eraill. Cyn y byddai ffermwr yn gwrthod talu'r degwm, byddai fel arfer wedi ceisio dwyn perswâd ar yr offeiriad i dderbyn llai o daliad a 'throi peth yn ôl'. Pe na bai cytundeb, byddai'r Eglwys yn mynd i gyfraith i hawlio'r tâl. Cyfrifoldeb offeiriad y plwyf oedd hyn, ond yn fuan iawn cymerodd y Comisiynwyr Eglwysig ofal o'r awenau. Y Comisiwn Eglwysig oedd yn gofalu am eiddo a hawliau cyfreithiol yr Eglwys yng Nghymru a Lloegr. Byddent yn sicrhau 'Gwarant Atafaelu' gan y llysoedd i roi'r hawl iddynt fynd ar dir y ffermwr a chymryd ei eiddo, a'i werthu er mwyn cael arian yn gyfwerth â swm y degwm.

Gan mai offer fferm, da byw a chynnyrch a gâi eu meddiannu, ceisiwyd cynnal yr arwerthiannau hyn ar y ffermydd. Rhoddai hynny gyfle heb ei ail i gymdogion a chefnogwyr y ffermwr ddod ynghyd ar y fferm i brotestio'n groch a tharfu ar yr arwerthiant. O'r herwydd, âi swyddogion y Comisiwn Eglwysig, yr arwerthwr a'i glerc o un fferm i'r llall gyda gosgordd o feilïaid cydnerth i'w gwarchod. Wrth i'r helynt ddwysáu, bu'n rhaid galw ar nifer fawr o heddlu, a milwyr hyd yn oed i'w cynorthwyo pan oedd y 'Rhyfel' yn ei anterth.

Ymysg y protestiadau enwocaf oedd y rhai a gynhaliwyd yn Llangwm, Mochdre a Llanefydd.

Terfysgoedd Haf 1887

Yn Llangwm, roedd arwerthiant i'w gynnal ar fferm Arddwyfaen ar 27 Mai 1887. Aeth yr arwerthwr, J. E. Roberts (Ap Mwrog), yno mewn cerbyd ceffyl o Ruthun gyda dau asiant o'r Comisiwn Eglwysig, dau glerc, cigydd o'r Rhyl a thri o blismyn. Roedd tyrfa fawr yn eu haros ger y ffordd fawr, a dechreuwyd ysgwyd y cerbyd. Cafodd y ceffylau fraw a dechreusant redeg. Torrodd siafft y cerbyd a bu'n rhaid i'r fintai ddod allan ohono i'r ffordd. Roedd y dyrfa'n eu dilyn, a chawsai'r arwerthwr a'i warchodwyr eu bwrw â ffyn a cherrig. Gosodwyd Ap Mwrog ar ben clawdd uwchlaw'r afon, gan fygwth ei daflu i'r dŵr pe bai'n gwrthod arwyddo papur yn addo peidio â gwneud gwaith y degwm byth eto. Hebryngwyd y naw ohonynt gan y dorf i Gorwen a'u rhoi ar y trên yno.

Erlynwyd 31 o brotestwyr Llangwm gerbron Llys Ynadon Rhuthun ym mis Gorffennaf, pan dynnwyd y llun isod. Gelwid pob un ohonynt yn 'Ferthyron y Degwm' yn y *Faner*, ond dim ond wyth a erlynwyd mewn llys uwch, sef yn y Frawdlys ym mis Chwefror 1888. Cytunodd yr wyth i 'ymrwymo i gadw'r heddwch', heb ddirwy na chosb bellach.

Erbyn hynny, digwyddodd mwy o brotestio drwy'r wlad. Er hyn, yr unig dro i'r Ddeddf Derfysg gael ei darllen mewn protest yn erbyn y degwm oedd ym Mochdre, ger Bae Colwyn, er i'r ynad heddwch a'i darllenodd gyfaddef wedyn nad oedd y sefyllfa'n ddigon peryglus i'w chyfiawnhau.

Aeth mintai casglu'r degwm i Fochdre ar 16 Mehefin 1887. Fferm o'r enw Mynydd oedd y nod, ar lechwedd uwchlaw'r pentref. Yn ychwanegol at y tîm arferol o asiantau, arwerthwr, clercod a'r heddlu, roedd yno ynad heddwch lleol, ei glerc yntau a 74 o

Y protestwyr a fu gerbron y llys yn Rhuthun yn dilyn terfysg Llangwm yn 1887. Galwodd *Y Faner* hwy yn 'Ferthyron y Degwm', a daeth yr enw'n rhan o'r iaith ar lafar gwlad.

filwyr heb arfau. Bwriad y protestwyr oedd tarfu ar yr arwerthiant a gwneud gwaith yr atafaelwyr yn amhosibl. Gwaith yr heddlu a'r milwyr, wrth gwrs, oedd sicrhau na fyddai hynny'n digwydd, ac felly roedd gwrthdaro'n anochel.

Ym mhentref Mochdre, ceisiodd y dyrfa atal mintai'r degwm rhag cyrraedd y fferm, a oedd ym mhen pellaf lôn gul. Taflwyd cerrig a thywyrch atynt o'r caeau o boptu'r lôn, yn ogystal â thyrfa wrthwynebus yn llenwi'r lôn ei hun.

Er i'r degwm gael ei dalu yn y diwedd gan denant fferm y Mynydd, bu'r gwrthdaro gwaethaf pan oedd y fintai ar ei ffordd yn ôl i Fochdre a hynny ar ran o'r lôn lle roedd y caeau bob ochr iddi'n dipyn uwch na'r ffordd. Yno, perswadiodd Clerc yr Ynadon yr unig ynad heddwch oedd yno i ddarllen y Ddeddf Derfysg. Defnyddiodd y plismyn eu pastynau i glirio'r ffordd ac fe anafwyd nifer o brotestwyr.

Yn sgil yr helynt hwn, penderfynodd yr Ysgrifennydd Cartref gynnal ymchwiliad swyddogol i helyntion y degwm, ac wedi casglu toreth o dystiolaeth mewn sesiynau holi ledled gogledd Cymru – cyhoeddwyd ei adroddiad cyn diwedd y flwyddyn.

Protest Llanefydd

Yng ngwanwyn 1888, cyrhaeddodd y protestiadau eu penllanw. Ar 17 Mai, aeth mintai'r ddegwm i fferm y Bryngwyn, Llanefydd, lle bu ffrwgwd mwyaf difrifol yr ymgyrch gyfan. Yno, roedd tyrfa fawr yn eu haros, yn gweiddi ac yn curo hambyrddau i darfu ar eu gwaith. Dechreuodd y gwrthdrawiad bron yn ddamweiniol, fel y dywed yr adroddiad hwn o'r papur newydd lleol, y *Denbighshire Free Press*:

> *ar godiad tir bu un o'r criw [o brotestwyr] yn curo hambwrdd yn barhaus yn agos at glust Mr Stevens [asiant y Comisiwn Eglwysig]. Ymddengys iddo, naill ai'n fwriadol neu'n anfwriadol, wthio neu daro Mr Stevens, ond mae amheuaeth am hyn ... Gafaelodd Mr Stevens yn y dyn, llanc ifanc, cryf, tua 20 oed, a rwystrodd yr ymosodiad trwy godi ei freichiau a'i ffon, ond p'run ai gyda'r bwriad o amddiffyn ei hun neu daro Mr Stevens, mae hynny'n fater o ddadl rhyngddynt.*

Wrth i'r protestwyr wthio ymlaen i warchod y llanc, cafodd yr heddlu orchymyn i dawelu'r dorf, a bu ysgarmes wyllt. Bu pastynau'r heddlu yn drech na'r dorf, ac fe anafwyd 24 o brotestwyr – 15 yn ddifrifol – yn ôl y gohebydd.

Yn sgil yr helynt hwn, penderfynwyd anfon milwyr ar geffylau, y cafalri, i ddiogelu mintai'r ddegwm. Daeth carfan o'r 9th Lancers i Ddinbych ar 23 Mai i gadw cwmni i swyddogion y Comisiwn am rai wythnosau. Gwerthwyd eiddo mewn 223 o ffermydd yr haf hwnnw, gyda chymorth y milwyr.

Aeth y gwaith rhagddo drwy gydol 1889 ac 1890. Galwyd am filwyr unwaith eto i Ddyffryn Clwyd ym mis Awst 1890, yr achlysur a ddarluniwyd yn y *Daily Graphic*.

Cartŵn bywiog y *Daily Graphic*, 29 Awst 1890, yn dangos helynt casglu'r degwm yn Sir Ddinbych.

Deddf y Degwm 1891

Erbyn hynny, roedd esgob newydd Llanelwy, Alfred Edwards, a'i ddeon, John Owen, yn awyddus i ddatrys yr argyfwng. Wedi ystyried adroddiad terfysg Mochdre a gwrando apêl yr Esgob Edwards, cyflwynodd y llywodraeth Ddeddf Rhentdal y Degwm, ac fe'i pasiwyd gan y Senedd yn 1891. Canlyniad y ddeddf oedd rhoi gorfodaeth ar berchennog y tir yn hytrach na'r tenant i dalu'r degwm, a chan mai eglwyswyr oedd y mwyafrif ohonynt, roeddent yn ddigon parod i'w dalu. Ond fe roddodd y ddeddf hawl iddynt godi rhenti eu tenantiaid yn gyfwerth â swm y degwm.

Nid buddugoliaeth oedd hon i brotestwyr y degwm felly, gan mai'r tenantiad tlawd oedd yn parhau i dalu'n anuniongyrchol, ffaith sy'n fwyaf amlwg o edrych ar y protestio a fu y tu hwnt i Sir Ddinbych. Bu cryn ymgyrchu yng Ngheredigion, Sir Benfro a Sir Gaerfyrddin. Yn wir, parhaodd y gwrthdystio yn y de-orllewin ar ôl i bethau dawelu yn y gogledd.

Y Degwm yng Ngorllewin Cymru

Un o nodweddion gwahanol y sefyllfa yng ngorllewin Cymru oedd y rhoddwyd cyfran uwch o'r degwm yn nwylo landlordiaid lleyg yn hytrach na'r eglwys.

Ffurfiwyd cymdeithas gan glerigwyr a pherchnogion degymau yn ne Cymru i amddiffyn eu hawliau, a phenodwyd gŵr ifanc yn feili i gasglu'r degwm a chynnal arwerthiannau fel bo'r angen. Robert Lewis o Bentywyn oedd y gŵr hwnnw, a bu'n gwneud y gwaith yn nannedd y protestiadau torfol.

Daeth yn amlwg i wrthwynebwyr y degwm mai'r unig ateb i'w cwyn fyddai dileu hawl Eglwys Loegr i godi degwm ar amaethwyr yng Nghymru yn llwyr. Rhoddodd y Blaid Ryddfrydol sylw mawr yn dilyn y protestio i'r nod o 'ddatgysylltu' Eglwys Loegr yng Nghymru, a fyddai'n torri'r cysylltiad rhwng yr eglwys a'r wladwriaeth. Gyda newid o'r fath, byddai'r hawl i godi degwm yn diflannu. Dim ond yn 1920 y gwireddwyd hynny, pan ffurfiwyd yr Eglwys yng Nghymru, fel ag y mae heddiw.

Mintai o heddlu a beilïaid yn mynd i gasglu degwm ym Mrynhoffnant, Llandysul. Dyma'r math o osgordd a aeth i gannoedd o ffermydd yn ystod Rhyfel y Degwm. Mae'n bosibl mai Robert Lewis – swyddog casglu ar ran yr Eglwys – yw'r dyn ar droed yn y llun, yn gwisgo helmed swyddog tân.

CYTHRWFL DIWYDIANNOL: TONYPANDY 1910

Y diwydiant glo oedd cynhaliaeth y gymuned gyfan yng Nghwm Rhondda, yn uniongyrchol ac yn anuniongyrchol. Er na chawsai merched a phlant weithio dan ddaear er 1842, bu cannoedd o ferched yn gweithio yn y golchfeydd glo. Yn y llun hwn gwelir gwragedd a phlant yn casglu glo o'r tipiau glo yn ystod streic 1910.

Cynnwrf yn y Meysydd Glo

Bu'r cyfnod o 1900 ymlaen yn gyfnod o dyndra cynyddol rhwng cyflogwyr a gweithwyr. Oherwydd dirwasgiad ym myd diwydiant ac amaeth, bu gwasgu mawr ar gyflogau a llawer yn ddi-waith.

Gwaethygodd y tyndra rhwng perchnogion y glofeydd a'r glowyr o 1908 ymlaen. Ffurfiwyd ambell gwmni enfawr drwy uno nifer o gwmnïau llai. Roedd y cwmnïau hyn yn gyfrifol am reoli llu o byllau, a cheisient dorri eu costau i'r bôn er mwyn cynyddu elw'r cwmni. Un o'r pethau a achosai berygl i'r gweithwyr oedd lleihau'r taliadau am waith fel clirio rwbel a chryfhau'r to o dan y ddaear – gwaith nad oedd yn cynhyrchu glo yn uniongyrchol ac a elwid yn 'dead work'. Ofnai'r glowyr fod eu diogelwch yn y fantol, gan gofio mai gwaith peryglus oedd gwaith y glöwr ar y gorau; yn wir cafwyd nifer o ddamweiniau enbyd yn negawd cyntaf y ganrif, a chollodd sawl un ei fywyd. Tanlinellai hyn bryder y glowyr ynglŷn â blaenoriaethau'r cwmnïau glo.

Yn 1908 pasiwyd deddf a oedd yn sefydlu diwrnod gwaith oedd yn wyth awr o hyd i'r glowyr, yn hytrach na'r deg awr a oedd yn gyffredin cyn hynny. Y nod oedd hyrwyddo diogelwch ac iechyd y glowyr. Gan fod cyflog y glöwr wedi ei seilio'n bennaf ar gynnyrch, a byddai anawsterau daearegol yn lleihau swm y glo y gellid ei dorri mewn wyth awr, pryderwyd am y gweithwyr yn y pyllau hynny lle roedd y ddaear yn anodd ei drin, a'r haenau glo wedi'u darnio gan graig solet; a fyddai'r glowr yn ennill cyflog digonol?

Anghydfod Glofeydd y Cambrian

Y cwmni mwyaf yn ne Cymru oedd cwmni'r Cambrian Collieries – clytwaith o wahanol gwmnïau a glofeydd a unwyd gan D. A. Thomas yn 'gombein' pwerus. Ymhlith ei gwmnïau yr oedd pyllau'r Glamorgan Coal Co. a'r Naval Coal Co. yng Nghwm Rhondda. Bu anghydfod yng nglofa'r Ely ym Mhen-y-graig, y Rhondda, wrth i 80 o lowyr wrthwynebu'r raddfa dâl am gloddio gwythïen lo newydd. Hawlient fod y cwmni'n talu rhy ychydig o ystyried y gwaith o glirio'r cerrig mawr a a oedd yn britho'r haenen lo. Ym mis Medi 1910, cafodd yr 80 glöwr eu diswyddo, ac fe gafodd gweddill glowyr y pwll – dros 800 ohonynt – eu cloi allan o'r gwaith am gefnogi eu cyd-weithwyr.

Cyhoeddwyd streic gan y glowyr ac roeddent yn benderfynol o atal y cwmni rhag dod â gweithwyr o'r tu allan i dorri'r streic a gyhoeddwyd, felly dechreuwyd picedu holl lofeydd y cwmni. Un dacteg bwysig oedd atal gwaith cynnal a chadw yn y glofeydd: gan fod tuedd i'r lefelau lenwi â dŵr, byddai atal y gwaith hwn yn achosi costau a thrafferth mawr i'r cwmni, ac efallai'n ei orfodi i ildio i ofynion ar fyrder. I'r perwyl hwnnw, ymgasglodd llu mawr o streicwyr yn Nhonypandy ar 7 Tachwedd a gorymdeithio gyda band yn eu harwain. Aethant o un lofa i'r llall yn y cylch, yn rhwystro swyddogion a pheirianwyr rhag cael mynediad a diffodd y boeleri a yrrai'r pympiau dŵr a'r gwyntyllau awyru yn y glofeydd. Gwnaed hyn heb lawer o wrthwynebiad hyd nes iddynt gyrraedd Glofa Morgannwg yn Llwynypia yn hwyr y prynhawn.

Gwrthdaro yn Llwynypia

Yno, roedd Prif Gwnstabl Sir Forgannwg, y Capten Lionel Lindsay, wedi lleoli 120 o heddlu i warchod y pwerdy trydan. Yno hefyd safai Leonard Llewellyn, rheolwr cwmni'r Cambrian, a thua 60 o swyddogion a pheirianwyr y cwmni.

Casglodd tyrfa o'r glowyr a'u cefnogwyr o amgylch y lofa, ac wrth iddi hwyrhau, bu sawl ysgarmes rhyngddynt a'r heddlu. Taflodd rhai o'r glowyr gerrig at y pwerdy oddi ar lechwedd uwchlaw'r safle. Yn hwyr y noson honno, defnyddiodd yr heddlu eu pastynau i yrru'r glowyr – llawer ohonynt yno gyda'u teuluoedd – o fynedfa'r pwll glo.

Erbyn hynny roedd y Prif Gwnstabl wedi anfon telegram i'r Swyddfa Ryfel yn Llundain yn gofyn iddynt anfon milwyr i gynorthwyo'r heddlu. Gwnaed hynny'n ddi-oed, ond yn y cyfamser, daeth cais Lindsay i sylw Winston Churchill, yr Ysgrifennydd Cartref. Gorchmynnodd yntau i'r Swyddfa Ryfel atal y milwyr rhag mynd i Donypandy, ac aros wrth gefn yng Nghaerdydd. Mewn telegram at y Prif Gwnstabl, esboniodd Churchill ei fod yn anfon 200 o aelodau o Heddlu Llundain ac 80 arall ar geffylau i atgyfnerthu ymdrechion yr heddlu lleol yn Nhonypandy. Meddai Churchill wrtho:

> Ni ddylid defnyddio milwyr traed hyd nes y bydd pob dull arall wedi methu.

Fore Mawrth, 8 Tachwedd, casglodd tyrfa fawr ym maes pêl-droed Llwynypia. Y diwrnod hwnnw, derbyniodd cannoedd o'r glowyr eu tâl diswyddo terfynol gan gwmni'r Cambrian.

Y Terfysg yn Torri

Yn Nhonypandy, ar y prynhawn Mawrth tyngedfennol hwnnw, gorymdeithiodd tyrfa fawr o rai miloedd, mae'n debyg, at y lofa yn Llwynypia. Gan fod y dyrfa'n gwasgu o gwmpas y lofa a'i

Rhai o'r plismyn a fu ar waith yn Llwynypia yn ystod Streic Fawr y Cambrian a therfysg Tonypandy.

Yng nghefndir y llun hwn fe welir y pwerdy yn Llwynypia lle bu'r gwrthdaro rhwng yr heddlu a'r glowyr ar 7–8 Tachwedd 1910.

phwerdy, penderfynodd y Prif Gwnstabl ddefnyddio llu o heddweision i geisio gwasgaru'r dorf â'u pastynau. Llwyddwyd i rannu'r dyrfa yn grwpiau llai, a chiliodd y rhain i wahanol gyfeiriadau. Aeth un dyrfa fawr yn ôl i ganol Tonypandy, a bu helynt yno a achosodd ddadlau mawr.

Ym mhrif stryd Tonypandy ac ar sgwâr y dref, torrwyd ffenestri siopau ac ysbeiliwyd nwyddau o rai ohonynt – yn enwedig y siopau dillad. Difrodwyd sawl math o siop, gan gynnwys fferyllwyr, ond cafodd un fferyllfa lonydd gan y dorf, sef siop Willie Llewellyn. Dyma ŵr a oedd yn aelod o dîm rygbi buddugoliaethus Cymru a drechodd y Crysau Duon o Seland Newydd yn 1905. Ai ei fri fel chwaraewr rygbi arbedodd y siop? Ni ŵyr neb i sicrwydd.

O ran yr ysbeilio'n gyffredinol, dywed rhai haneswyr mai adwaith oedd y difrod i ddyledion trymion y glowyr a'u teuluoedd ar lyfrau cownt rhai o'r siopau. Roedd rhai o'r siopwyr yn landlordiaid tai hefyd, a haerwyd bod rhai yn gosod amod i'w tenantiaid fod rhaid prynu eu nwyddau o'u siopau hwy. Fel y gellid disgwyl, cafodd y difrodi hwn sylw mawr yn y wasg, fel y cafodd hanes y merlod yng nglofa Llwynypia. Casglodd swyddogion cwmni'r Cambrian tua 300 o ferlod a dynnai'r llwythi glo o dan ddaear yn y lofa hon. Pwysleisiodd y rheolwr, Leonard Llewellyn, y perygl y cawsai'r merlod eu boddi pe câi'r pympiau eu hatal a'r pwll yn llenwi â dŵr. Gwnaeth y wasg yn fawr o'r stori, heb roi llawer o sylw i gynnig y glowyr i godi'r merlod o'r pwll eu hunain.

Wedi'r Ddrycin

Wedi'r helyntion ar 8 Tachwedd, penderfynodd Churchill ganiatáu i'r milwyr fynd i Donypandy, gan gyrraedd y bore trannoeth. Buont ar batrôl mewn sawl man yng Nghwm Rhondda wedyn, a bu rhai milwyr ar waith yn y fro hyd fis Gorffennaf 1911.

Yn y gwrthdaro ffyrnig rhwng streicwyr a'r heddlu ar y noson gyntaf honno y cafwyd y nifer mwyaf o anafiadau er nad oes cofnod manwl, gan fod llawer o'r rhai a anafwyd – fel mewn terfysgoedd eraill – wedi cadw draw oddi wrth y meddyg neu'r ysbyty rhag ofn i'r heddlu ddod o hyd iddynt a'u harestio. Amcangyfrifir y gallai tua 500 fod wedi eu hanafu. Gwyddom fod tua 80 o'r heddlu wedi eu hanafu.

Lladdwyd un dyn, glöwr o'r enw Samuel Rhys yn sgil brwydr â'r heddlu y noson honno, bu farw o glwyfau i'w ben yn fuan wedyn. Er y sgarmes ni saethodd y milwyr at neb yn Nhonypandy yn 1910 er i rai ddweud y gwnaethont danio.

Eto i gyd, ar lawr gwlad fe ddaeth penderfyniad Churchill i anfon milwyr i Donypandy yn achos dicter tuag at y gwleidydd, dicter a barhaodd yn ei erbyn am weddill ei oes. Ceir hanes cynulleidfaoedd mewn sinemâu yn y cymoedd yn hwtian yn ddig o weld Churchill mewn ffilmiau newyddion yn ystod yr Ail Ryfel Byd, ac yntau'n Brif Weinidog erbyn hynny.

Beth fu canlyniad streic y glowyr? Erbyn yr hydref 1910, roedd holl lowyr cwmni Cambrian ar streic, tua 12,000 ohonynt i gyd. Roedd glowyr cwmnïau eraill ar streic hefyd, hyd nes bod tua 30,000 o streicwyr i gyd. Yn y diwedd, er hynny, colli'r dydd a wnaeth glowyr Tonypandy. Ym mis Awst 1911, bu'n rhaid iddynt ddychwelyd i'r gwaith ar y telerau yr oedd cwmni'r Cambrian wedi eu cynnig ar y dechrau, bron flwyddyn ynghynt.

CYTHRWFL DIWYDIANNOL: LLANELLI 1911

Darlun modern gan John Wynne Hopkins yn dangos yr olygfa yng ngorsaf rheilffordd Llanelli ar 19 Awst 1911. Mae streicwyr a gwylwyr cyffredin ar y llechweddau ac yn y gerddi uwchlaw'r cledrau, a'r milwyr yn tanio o ymyl y trên.

Haf o Anfodlonrwydd

Yn ystod haf 1911 teimlai llawer o bobl eu bod yng nghanol rhyw gyfnod o gythrwfl anghyffredin. Bu miloedd lawer o weithwyr mewn dwsinau o ddiwydiannau'n streicio yn erbyn eu cyflogwyr. Gwelsent ostyngiad yn eu cyflogau wrth i brisiau cynnyrch ddisgyn, a'r cyflogwyr yn mynnu lleihau eu costau.

Un diwydiant hynod o bwysig oedd y rheilffyrdd. Hwn oedd y prif gyfrwng cludiant ar dir i bobl a nwyddau. Ar hyd y rheilffyrdd yn bennaf y deuai miliynau o dunelli o gynnyrch diwydiannau maes glo de Cymru i borthladdoedd fel Casnewydd, Caerdydd, y Barri, Llanelli ac Abertawe. Bu gweithwyr y rheilffyrdd yn ymgyrchu ers blynyddoedd i wella'u cyflogau, ac yn 1911 cydweithiodd gwahanol undebau'r gweithwyr rheilffyrdd i drefnu streic genedlaethol fawr. Bwriad y streic oedd atal pob trên trwy wledydd Prydain, a gorfodi'r cyflogwyr i ildio er mwyn cadw'u cwmnïau a'r economi'n weddol iach.

Tref ddiwydiannol a phorthladd oedd Llanelli, ac roedd gweithfeydd tun a thunplat pwysig yno, yn ogystal â gweithfeydd copr, plwm, crochenwaith a bragdai. Rhedai rheilffordd bwysig drwy Lanelli hefyd: rheilffordd cwmni'r Great Western Railway o Lundain i Abergwaun, lle roedd porthladd prysur ar gyfer llongau fferi a oedd yn hwylio i Iwerddon. Pe bai'r rheilffordd yn Llanelli'n cau, byddai'n atal gwythïen bwysig o drafnidiaeth rhwng Llundain ac Iwerddon.

Streic yn Llanelli

Dechreuodd y streic genedlaethol ar 17 Awst, pan benderfynodd 145,000 o weithwyr rheilffordd atal eu llafur. Aeth y cwmnïau rheilffyrdd ar ofyn yr awdurdodau am gymorth i gadw'r gorsafoedd a'r llinellau ar agor a threfnwyd cannoedd o heddlu i warchod gweithwyr a oedd yn barod i dorri'r streic drwy wneud gwaith y streicwyr yn eu lle.

Ar drydydd diwrnod y streic, 19 Awst, roedd y streicwyr yn benderfynol na châi trên pwysig yr Irish Mail, deithio ymhellach na Llanelli ar ei daith o Lundain i Abergwaun. Pan ymgasglodd cannoedd o streicwyr o gwmpas gorsaf Llanelli, galwodd Prif Gwnstabl Sir Gaerfyrddin am filwyr i helpu'r heddlu i gadw'r rheilffordd ar agor.

Safodd rheng drefnus o bicedwyr ar draws y cledrau er mwyn atal y trên, a gwelwyd tua 2,000 o bobl o boptu'r lein yn cefnogi'r picedwyr. Gan mai tua 500 o weithwyr rheilffordd oedd yn Llanelli, a llai na'u hanner yn undebwyr ac yn rhan o'r streic, pobl o ddiwydiannau eraill megis y diwydiant tunplat oedd gweddill y dorf felly.

Dewisiodd y picedwyr eu safle'n ddoeth ar y rheilffordd, lle roedd llechwedd yn codi o boptu'r cledrau. Gwnâi hyn waith yr heddlu'n anoddach, oherwydd roedd nifer o gefnogwyr y streic yn sefyll yng ngerddi'r tai ar ymyl y llechwedd – tai ar y Stryd Fawr a Heol y Bryn. O'r gerddi hynny y taflai rhai o'r protestwyr gerrig at yr heddlu a'r milwyr.

Ac yna daeth y milwyr . . .

O dan arweiniad yr Is-gapten Brownlow Stuart, arhosai 80 o aelodau Catrawd Swydd Caerwrangon, y 'Worcestershires', yn yr orsaf i wneud eu dyletswydd. Cawsant orchymyn i sicrhau bod yr Irish Mail yn medru bwrw ymlaen â'i thaith, doed a ddelo.

Hen ffotograff yn dangos milwyr yn gwersylla ger Llanelli yn ystod haf 1911.

Gwelsai'r Is-gapten nifer fawr o brotestwyr yn sefyll yn y gerddi ac uwchben y lein, a dringodd y llechwedd i'w rhybuddio i beidio â thaflu cerrig. Arafodd y gawod gerrig am ychydig, ond ailgychwynnodd pan ddychwelodd yntau i'r orsaf. Trawyd un o'i filwyr ar ei ben. Bloeddiodd Stuart rybudd ar y dyrfa i ymatal a chilio, a rhoddodd funud iddynt wneud hynny. Darllenwyd y Ddeddf Derfysg a chanodd milwyr y corn fel rhybudd pellach. Gosododd Stuart sgwad o bump o filwyr i danio at y dorf ar y llechwedd. Am ryw reswm, targedwyd gardd gefn rhif 6, y Stryd Fawr, yn benodol.

Yn yr ardd honno, trawodd y bwledi reiffl pwerus dri o ddynion ifanc. Anafwyd Benjamin Hanbury yn ei fawd, ond fe laddwyd John Henry John (21 oed) a Leonard Worsell (20 oed) ar amrantiad.

Ciliodd llawer o'r dyrfa, ond nid oedd modd i'r trên symud, oherwydd roedd y picedwyr eisoes wedi dringo gaban yr injan ac wedi diffodd y tân yno. Nid oedd y gyrrwr ychwaith yn barod i dorri'r streic drwy aildanio'r injan.

Leonard Worsell, llanc ifanc o Lundain, a ddaethai i Lanelli i gryfhau ar ôl gwaeledd (y diciâu yn ôl y sôn). Roedd yn sefyll yn un o'r gerddi uwchlaw'r orsaf pan gafodd ei saethu'n farw.

Jack John: fel Leonard Worsell, sefyll mewn gardd yn gwylio'r helynt yr oedd yntau. Dywed rhai ei fod ar ganol eillio pan ddaeth allan o'r tŷ i weld y cyffro. Gŵr ifanc lleol, a chwaraewr pêl-droed dawnus oedd Jack John.

Bedd Leonard Worsell ym mynwent Llanelli; er mai brodor o Lundain ydoedd, fe'i claddwyd yn y dref lle bu farw. Mae'r garreg fedd yn datgan cefnogaeth i achos y gweithwyr.

Adwaith i'r Saethu

Cynddeiriogwyd y dyrfa y tu allan i'r orsaf gan y saethu, a bu ymosod ffyrnig ar adeiladau cwmni'r Great Western, siopau rhai o ynadon heddwch y dref a threnau yn yr orsaf a'r 'seidins'. Yn anffodus, roedd llwyth o ddeunydd ffrwydrol yn un o'r trenau. Ffrwydrodd pan roddwyd y cerbyd ar dân, gan ladd pedwar o'r protestwyr ac anafu nifer o bobl eraill.

Yn y cyfamser – yn ddiarwybod i'r protestwyr yn Llanelli – roedd arweinwyr undebau'r rheilffyrdd wedi bod yn cyd-drafod â'r cyflogwyr yn Llundain, a Changhellor y Trysorlys, Lloyd George, yn ganolwr. Daeth y ddwy ochr i gytundeb y diwrnod hwnnw, ond roedd yn rhy hwyr i atal y drychineb yn Llanelli.

Cynhaliwyd y cwest ar John Henry John neu Jack John, fel y'i adnabuwyd, a Leonard Worsell yn Neuadd y Dref, Llanelli, ar 29 Awst. Holwyd yr Is-gapten Stuart yn fanwl ynglŷn â'i benderfyniad i danio. Holodd Lewis Phillips, a oedd yn cynrychioli teulu Jack John, pam y taniwyd at ardd rhif 6 yn unig, pan oedd protestwyr ar hyd y llechwedd. Galwyd tystion ganddo yn dweud na thaflwyd yr un garreg o'r ardd honno, ond dywedodd y crwner wrth y rheithgor am roi dyfarniad o 'ddynladdiad y gellid ei gyfiawnhau'.

Gorymdaith drwy dref Llanelli yn ystod haf 2011 er cof am y terfysgoedd ganrif ynghynt.

TERFYSG Y STRYD

Gorymdaith yn 2011 i gofio terfysg Llanelli.

Rhai yn unig o derfysgoedd Cymru a ddisgrifiwyd yma. Bu gwrthdaro rhwng streicwyr a'r heddlu yn Nyffryn Ogwen adeg Streic Fawr Chwarel y Penrhyn yn ystod 1900–03. Cafwyd sawl cythrwfl adeg ymgyrch Merched y Bleidlais – y Swffragetiaid – o 1907 ymlaen, ond yn yr achos hwn, prif reswm y gwrthdaro oedd ymateb ffyrnig torfeydd o ddynion i brotestiadau'r merched, fel a ddigwyddodd yn Eisteddfod Genedlaethol Wrecsam yn 1912.

Roedd yn gyfnod o derfysg ac aniddigio drwy Brydain, yn wir, yr enw a roddwyd ar y cyfnod rhwng 1908 ac 1914 oedd 'yr Aflonyddwch Mawr' oherwydd cafwyd sawl anghydfod diwydiannol ymhob cwr o Brydain.

Yn ystod haf cythryblus 1911 bu cyfres o ymosodiadau ar siopau'n perthyn i Iddewon yn Nhredegar, Glynebwy, Rhymni a Bryn-mawr. Yng Nglynebwy a Thredegar fe ddarllenwyd y Ddeddf Derfysg cyn i filwyr ailfeddiannu'r strydoedd gan ddefnyddio bidogau. Difrodwyd dwy siop groser ym Mryn-mawr a rhoddwyd dwy siop ar dân yn Senghennydd.

A oedd cysylltiad rhwng y terfysgoedd hyn a'r helyntion diwydiannol mawr yr haf hwnnw? Cymunedau diwydiannol oedd y rhain, lle roedd miloedd o lowyr ar streic yn erbyn cwmnïau glo fel y Cambrian yn Nhonypandy yn 1910, a nifer o weithwyr haearn ar y clwt yng Nglynebwy. Roedd arian yn brin. Rhaid cofio nad siopau'n perthyn i Iddewon yn unig a dargedwyd, a bu eraill yn dargedau amlwg yn Nhonypandy rai misoedd ynghynt.

Ar wahân i streic y glowyr, roedd streic fawr gan undeb y morwyr hefyd yn ystod yr haf hwnnw. Bu nifer mawr o forwyr yn picedu dociau'r porthladdoedd i gadw perchnogion llongau rhag torri'r streic drwy gyflogi morwyr nad oeddent yn perthyn i undeb. Yng Nghaerdydd, unodd gweithwyr y dociau a llwythwyr yr howldiau, sef y 'trimmers', yn y streic, ac ymledodd yr anghydfod i Gasnewydd, Penarth a'r Barri. Cynyddwyd y pryder am brinder bwyd, gan nad oedd nwyddau oedd wedi eu mewnforio yn cael eu dadlwytho. Crwydrai torfeydd afreolus strydoedd Caerdydd am nosweithiau, a bu gwrthdaro rhyngddynt a'r heddlu.

Un grŵp lleiafrifol arall a ddioddefodd drais yng Nghaerdydd yn 1911 oedd y Tsieineaid. Ymosododd torfeydd ar olchdai Tsieineaidd, gan ddifrodi pob un bron yn y ddinas. Yr achos, mae'n debyg oedd fod nifer o forwyr Tsieineaidd wedi derbyn gwaith ar y llongau yn ystod y streic.

Ym mis Mehefin 1919, bu terfysgoedd hiliol difrifol yng Nghaerdydd a Chasnewydd lle bu ymladd rhwng grwpiau o ddynion croenwyn a chroenddu. Ac yn nwyrain Caerdydd bu ysgarmes ffyrnig, pryd defnyddiwyd cyllyll, raseli a hyd yn oed lawddrylliau. Anafwyd 11 o bobl – gan gynnwys dau blismon – a bu farw un dyn.

Gwaethygodd y gwrthdaro wrth i grwpiau o ddynion croenwyn ymosod ar ddynion croenddu yn y stryd, ac ymosod ar dai yn Stryd Millicent a Stryd Bute, lle roedd nifer o deuluoedd Somali yn byw ers cenedlaethau. Rhoddwyd un tŷ ar dân. Anafwyd tri o bobl a lladdwyd dau – John Donovan a Mohammed Abdullah.

Ymledodd y cythrwfl i'r Barri – lle cafodd un dyn ei ladd – ac yna i Gasnewydd. Gwnaed difrod mawr i dai a busnesau yn y ddau borthladd.

Ac yn union fel a ddigwyddodd yn y terfysgoedd yn Lloegr yn 2011, cododd terfysgoedd o'r fath gwestiynau am yr hyn sy'n eu hachosi.

Bu terfysgoedd tebyg i rai Caerdydd yn ystod haf 1919 yn Lerpwl, South Shields a Hull – porthladdoedd prysur i gyd, ac nid cyd-ddigwyddiad mo hynny. Roedd morwyr o wahanol rannau o'r Ymerodraeth wedi bod yn gweithio ar longau masnach Prydain drwy gydol y Rhyfel Mawr, gan wynebu peryglon y llongau tanfor. Erbyn 1919, a'r Rhyfel ar ben, roedd nifer ohonynt wedi colli eu gwaith wrth i'r lluoedd arfog ryddhau miloedd lawer o'u dyletswyddau. Bu tensiynau yn y porthladdoedd, ac mewn sawl adroddiad sonnir am derfysgwyr croenwyn yn cwyno nad oedd gwaith iddynt tra oedd trigolion o India'r Gorllewin a Somalia mewn gwaith.

Does dim dwywaith na wnaeth anfodlonrwydd yn dilyn y Rhyfel Byd Cyntaf fwydo'r rhagfarnau hiliol a fodolai eisoes o dan yr wyneb yn 1919. Wedi'r cyfan, buasai'r porthladdoedd yn drefi cosmopolitan ers cenedlaethau. Oherwydd cysylltiadau masnach byd-eang Prydain, roedd pobl o bob cwr o'r Ymerodraeth wedi bod yn forwyr ar longau Prydain ac wedi ymgartrefu a sefydlu cymunedau ger y prif borthladdoedd. Pan fo cymunedau o gefndiroedd ethnig a thraddodiadau gwahanol yn byw mor agos i'w gilydd, mae gwrthdaro'n anochel weithiau.

Gellid cyfeirio hefyd at derfysgoedd mwy diweddar na'r rhain yng Nghymru: yn ystod streic lo yn Rhydaman yn 1925, ac ym Medlinog yn 1935 – a oedd unwaith eto yn rhan o anghydfod diwydiannol. Yn nes at ein dydd ni, gallwn gyfeirio at achosion mwy diweddar fyth: ymysg carfanau o bobl ifanc yng Nghaerffili yn 1966, ar Stad Treláí yng Nghaerdydd yn 1991 ac ar stad Parc y Caeau yn Wrecsam yn 2003.

Er ein bod yn gallu gweld ffactorau cyffredin mewn terfysgoedd; ymdeimlad o anghyfiawnder, hanes o anfantais ac anfodlonrwydd economaidd a chymdeithasol. Mae 'haenau' i bob stori a'i gwna'n fwy cymhleth na'r penawdau newyddion yn aml. Yr hyn sy'n anodd ei ragweld, yn aml, yw beth fydd y gwreichionyn sy'n troi'r pentwr o gŵynion yn goelcerth enfawr.

Mae un peth yn hynod drawiadol; dros y degawdau, a chyda threigl amser, daw pobl i edrych ar y terfysgoedd hynny a gododd o fudiadau protest gyda pharch i'w safiad dros egwyddorion a hawliau. Cynhaliwyd coffâd cyhoeddus i brotestwyr Tonypandy yn 2010 a Llanelli yn 2011, a daeth Dic Penderyn a Beca yn rhan o dreftadaeth falch y Gymru fodern.

Cyflwyno'r plac glas o flaen pwerdy Llwynypia er cof am derfysgoedd Tonypandy.

DARLLEN PELLACH

Os yw'r llyfr hwn wedi eich ysgogi i ddarganfod mwy am derfysgoedd, gobeithio y bydd y rhestr ffynonellau isod yn eich rhoi ar ben y ffordd. Noder bod cyhoeddiadau eraill a gwefannau ar gael.

Llyfrau:

EDWARDS, John, *Remembrance of a Riot: the Story of the Llanelli Railway Strike Riots of 1911*, Cymdeithas Ddinesig Llanelli a'r Fro 2010

GRIFFITHS, Jenny a Mike, *The Mold Tragedy of 1869*, Gwasg Carreg Gwalch 2001

HERBERT, David a JONES, Gareth Elwyn (gol.), *Wales 1880–1914*, Gwasg Prifysgol Cymru 1988 (Adran D: 'From Riots to Revolt: Tonypandy and the Miners' Next Step' gan David Smith)

JOHN, Angela V. (gol.), *Our Mothers' Land: Chapters in Welsh Women's History 1830–1939*, Gwasg Prifysgol Cymru 1991

JONES, David J.V., *Before Rebecca: Popular Protests in Wales 1793–1835*, Allen Lane 1973

JONES, David J.V., *The Last Rising: the Newport Chartist Insurrection of 1839*, Gwasg Prifysgol Cymru 1999

JONES, Eirian, *The War of the Little Englishman: Enclosure Riots on a Lonely Welsh Hillside*, Y Lolfa 2007

JONES, Elwyn Lewis, *Gwaedu Gwerin: Braslun o Hanes Rhyfel y Degwm yng Nghymru*, Gwasg Gee 1983

JONES, Tim, *Rioting in North-east Wales 1536–1918*, Bridge Books 1997

MASSON, Ursula, *'For Women, for Wales and for Liberalism': Women in Liberal Politics in Wales 1880–1914*, Gwasg Prifysgol Cymru 2010

MOLLOY, Pat, *And They Blessed Rebecca: an Account of the Welsh Toll-gate Riots 1839–44*, Gomer 1983

MORRIS, E. Ronald, *Chartism in Llanidloes, 1838–1839*, Pwyllgor Dathlu Siartwyr Llanidloes 1989

ROWLANDS, John, *Copper Mountain*, Cymdeithas Hynafiaethol Môn 1966, adargraffiad Stone Science 2002 (Pennod IV: 'The Mining Community')

SMITH, Dai, *Wales! Wales?*, George Allen & Unwin 1984 (Pennod 4: 'A Place in the South of Wales' [Tonypandy])

THOMAS, David, *Cau'r Tiroedd Comin*, Gwasg y Brython 1952

WALLACE, Ryland, *The Women's Suffrage Movement in Wales 1866–1928*, Gwasg Prifysgol Cymru 2009

WILLIAMS, David, *John Frost: a Study in Chartism*, Gwasg Prifysgol Cymru 1939

WILLIAMS, David, *The Rebecca Riots: a Study in Agrarian Discontent*, Gwasg Prifysgol Cymru 1955

WILLIAMS, Gwyn A., *The Merthyr Rising*, Gwasg Prifysgol Cymru 1988

Erthyglau:

ALDERMAN, Geoffrey, 'The Anti-Jewish Riots of August 1911 in South Wales', yn *Cylchgrawn Hanes Cymru*, Cyf. 6, Rhif 2, 1972

DAVIES, Alan Eurig, 'Enclosures in Cardigan' yn *Ceredigion*, Cyf. 8, Rhif 1, 1976

HOPKIN, Deian, 'The Llanelli Riots of 1911', yn *Cylchgrawn Hanes Cymru*, Cyf. 11, Rhif 4, 1983

JONES, D. J.V., 'Distress and Discontent in Cardiganshire 1814–1819' yn *Ceredigion*, Cyf. 5, Rhif 3, 1966

JONES, D. J.V., 'More Light on "Rhyfel y Sais Bach"', yn *Ceredigion*, Cyf. 5, Rhif 1, 1964

JONES, Frank Price, 'Rhyfel y Degwm', yn *Trafodion Cymdeithas Hanes Sir Ddinbych*, Cyf. 2, 1953

JONES, J. Graham, 'Lloyd George and the Suffragettes', yn *Cylchgrawn Llyfrgell Genedlaethol Cymru*, Cyf. 33, Rhif 1, 2003

MÓR-O'BRIEN, Anthony, 'Churchill and the Tonypandy Riots', yn *Cylchgrawn Hanes Cymru*, Cyf. 17, Rhif 1, 1994

MORRIS, Robert M., 'The Tithe War', yn *Trafodion Cymdeithas Hanes Sir Ddinbych*, Cyf. 32, 1983

PARRY, John Glyn, 'Terfysgoedd Ŷd yng Ngogledd Cymru 1740–58' yn *Trafodion Cymdeithas Hanes Sir Gaernarfon*, Cyf. 39, Rhif 39, 1978

WILLIAMS, David, 'Rhyfel y Sais Bach' yn *Ceredigion*, Cyf. 2, Rhif 1, 1952

CYDNABYDDIAETHAU

Nodir isod berchnogion hawlfraint y lluniau yn y gyfrol hon a roddodd ganiatâd i'w defnyddio:

t.4 cartŵn o derfysg yn Llundain 1780: CartoonStock.com;
t.4-5 golygfa o derfysg yn Llundain 2011: Press Association News;
t.6 Beca ar geffyl: Llyfrgell Genedlaethol Cymru;
t.7 Syr John Wynn o Wydir: Llyfrgell Genedlaethol Cymru;
t.8 Siartwyr o flaen gwesty'r Westgate: Amgueddfa Casnewydd;
t.9 golygfa o derfysg yn Llundain 2011: Topfoto;
t.10-11 tref Caerfyrddin yn 1740: Bob Morris;
t.11 hen lun o Ruddlan: Bob Morris;
t.12 peintiad o harbwr porthladd Amlwch: Llyfrgell Genedlaethol Cymru;
t.13 Y Mynydd Bach: Lyn Dafis;
t.14 Pistyll: Bob Morris;
t.15 Rhostryfan: Bob Morris;
t.16-17 gwaith haearn Cyfarthfa: Amgueddfa Castell Cyfarthfa;
t.17 Stryd Fawr Merthyr: Llyfrgell Genedlaethol Cymru;
t.18 Tafarn Dic Penderyn: Ronald John Saunders; cofeb Dic Penderyn: Bob Morris;
t.19 hen neuadd farchnad Llanidloes: Bob Morris;
t.20 plac glas gwesty'r Trewythen Arms: George Jones;
t.21 llwyfannu *Pum Diwrnod o Ryddid*: gyda chaniatâd Cwmni Ieuenctid Maldwyn;
t.22 golygfa o'r sioe *Pum Diwrnod o Ryddid*: gyda chaniatâd Cwmni Ieuenctid Maldwyn; poster yn cynnig arian: Amgueddfa Powysland;
t.23 Thomas Jerman a'i deulu: Amgueddfa Powysland;
t.24 John Frost: Amgueddfa Casnewydd;
t.24-25 golygfa o flaen gwesty'r Westgate: Amgueddfa Casnewydd;
t.26 Zephaniah Williams: Llyfrgell Genedlaethol Cymru; Hugh Williams: Llyfrgell Genedlaethol Cymru;
t.27 rali comin Kennington: Topfoto;
t.28 darlun o Beca a'i dilynwyr: Llyfrgell Genedlaethol Cymru; cartŵn dychanol o wleidyddion drwy ddefnyddio Beca: Topfoto;
t.30 tocynnau clirio tollbyrth: Llyfrgell Genedlaethol Cymru; cwrdd ar Fynydd Sylen: Llyfrgell Genedlaethol Cymru;
t.31 giât Pontyberem yn dilyn cyrch gan Beca: Llyfrgell Genedlaethol Cymru;
t.32-33 gorsaf reilffordd yr Wyddgrug: casgliad Ray Davies;
t.33 ffotograff o orsaf rheilffordd yr Wyddgrug: casgliad Ray Davies;
t.34 stryd fawr yr Wyddgrug heddiw: Chris Noble;
t.35 Thomas Gee: Archifau Dinbych;
t.36 'Merthyron y degwm': Archifau Dinbych;
t.37 cartŵn 'Tithe Collecting in Wales', Y Llyfrgell Brydeinig;
t.38 mintai degwm Brynhoffnant: Llyfrgell Genedlaethol Cymru;
t.39 plant a gwragedd yn cario glo: Llyfrgell Rhondda Cynon Taf;
t.40 plismyn yng nglofa Llwynypia: Llyfrgell Rhondda Cynon Taf;
t.41 pwerdy Llwynypia: Llyfrgell Rhondda Cynon Taf;
t.42-43 dyluniad modern o orsaf rheilffordd Llanelli: John Wynne Hopkins;
t.43 milwyr yn gwersylla yn Llanelli: Llyfrgell Ganolog Caerdydd;
t.44 Leonard Worsell, John Henry Jones a bedd Leonard Worsell: Historic-UK.com; gorymdeithio drwy Lanelli: Deni Kittay;
t.45 gorymdeithio drwy Lanelli: Deni Kittay;
t.46 plac glas Tonypandy: John Harrison.

Ni fu'n bosibl dod o hyd i berchennog pob llun a dyfyniad ac mae'r cyhoeddwyr yn ymddiheuro'n ddidwyll am fethu cydnabod cyfraniad unrhyw unigolyn neu sefydliad sydd yn berchen ar ddelwedd neu lawysgrif yn y llyfr hwn heb yn wybod iddynt. Byddant yn barod iawn i ychwanegu'r manylion perthnasol pan ddaw'r amser i adargraffu.